南懷瑾先生 著

靜坐修道與長生不老

老古文化事業公司

國際標準書號：ISBN:978-957-9480-10-9

靜坐修道與長生不老

南懷瑾先生 著

癸丑 1973(62)年四月臺灣初版
辛卯 2011(100)年十月臺灣初版五十刷

●局版臺業字第一五九五號●

發行人：南懷瑾・郭姮妟
出版者：老古文化事業股份有限公司
地　址：台北市100信義路一段五號一樓（附設門市）
電　話：（〇二）二三九六—〇三三七　傳真：（〇二）二三九六—〇三四七
郵政劃撥：〇一五九四二六一一　帳戶名稱：老古文化事業股份有限公司
香港出版：經世學庫發展有限公司
地　址：香港中環都爹利街八號鑽石會大廈十樓
電　話：（八五二）二八四五—五五五五　傳真：（八五二）二五二五—一二〇一
網　址：http://www.laoku.com.tw
電子郵件：laoku@ms31.hinet.net

定價：新臺幣二五〇元整

前言

人，充滿了多欲與好奇的心理。欲之最大者，莫過於求得長生不死之果實；好奇之最甚者，莫過於探尋天地人我生命之根源，超越世間而掌握宇宙之功能。由此兩種心理之總和，構成宗教學術思想之根本。西方的佛國、天堂，東方的世外桃源與大羅仙境之建立，就導致人類脫離現實物欲而促使精神之昇華。

捨此之外，有特立獨行，而非宗教似宗教，純就現實身心以取證者，則為中國傳統的神仙修養之術，與乎印度傳統的修心瑜伽及佛家「秘密宗」法門之一部分。此皆從現有生命之身心著手薰修，鍛鍊精神肉體而力求超越物理世界之束縛，以達成外我的永恆存在，進而開啓宇宙生命原始之奧秘。既不叛於宗教者各自之信仰，又不純依信仰而自求實證。

但千古以來，有關長生不老的書籍與口傳秘法，流傳亦甚普及，而真仙何在？壽者難期，看來純似一派謊言，無足採信。不但我們現在有此懷疑，古人也早有同感。故晉代人嵇康，撰寫「養生論」而力言神仙之可學，欲從理論上證明其事之真實。

嵇康提出神仙之學的主旨在於養生，堪稱平實而公允。此道是否具有超神入化之功，暫且不問，其對現有養生之助益，則絕難否認。且與中國之醫理，以及現代之精神治療、物理治療、心理治療等學，可以互相輔翼，大有發揚的必要。

一種學術思想，自數千年前流傳至今，必有它存在的道理。古人並非盡為愚蠢，輕易受騙。但是由於古今教授處理的方法不同，所以我們今天對此不容易瞭解。況且自古以來畢生埋頭此道，進而鑽研深入者，到底屬於少數的特立獨行之士，不如普通應用學術，可以立刻見效於謀生。以區區個人的閱歷與體驗，此道對於平常注意身心修養，極有自我治療之效。如欲「病急投醫，臨時抱佛。」可以休矣。

至欲以此探究宇宙與人生生命之奧秘，而冀求超凡者，則又涉及根骨之說。清人趙翼論詩，有「少時學語苦難圓，只道工夫半未全。到老方知非力取，三分人事七分天。」之說。詩乃文藝上的小道，其高深造詣之難，有如此說。何況變化氣質，豈能一蹴而就，而得其圜中之妙哉！

本書的出版，要謝謝多年來學習靜坐或修道者的多方探詢，問題百出，使我大有應接不暇之感。乃以淺略之心得與經驗，掃除傳統與私相授受的陋習，打破丹經道書上有意隱秘藏私的術語，作一初步研究心得之平實報導。對於講究養生的人或者有些幫助。

在此尚須聲明，所謂「初步」並非謙抑之詞，純出至誠之言。要求更為深入，實非本書可盡其奧妙。如果時間與機會許可，當再從心理部分，乃至綜合生理與心理部分，繼續提出研究報告。

中華民國六十二年歲次癸丑淨名盦主記於臺北

目錄

長生不老確有可能

在我的一生中，有不少人無數次問過這些問題。一個做了幾十年醫生的人，如果沒有宗教家的仁慈懷抱，有時候真會厭惡自己「當時何不學春耕」，懶得再講病理；同時更會討厭求診治病的人存有頑強的主見，不肯合作。我雖然不是醫生，但實在缺乏耐性詳細解答這些迷惑的心理病態，有時候碰到別人問起這些問題時，我劈頭就說：你幾時真正見到世界上有長生不死的人？除了聽別人說的：某地某人已經活了幾百歲，廣成子、徐庶，都還活在峨嵋山和青城山上，絕對沒有一個人敢親自請出一位長生不死的神仙來見人。其次，我就要問：你認為靜坐便是修道嗎？道是什麼？怎樣去修？你為什麼要修道和靜坐？幾乎十個就有五雙的答覆，都是為了「卻病延年」與「消災延壽」。講到靜坐與修道，大多數都想知道靜坐的方法，以及如何打通任督二脈與奇經八脈，或者密宗三脈七輪等等問題。可是他們都忘記了為長生不死而修道，為打通任督等脈而靜坐的最高道理——哲學理論的依據。因為一個人為自己長生不死而修道，這是表示人性自私心理極度的發揮。如果打通身上的氣脈便是道果，那麼，這個道，畢竟還是唯物的結晶。道，究竟是心是物？多數人却不肯向這裏去深入研究了。

那麼，人類根本沒有長生不死的可能嗎？不然！不然！這個問題，首先必須認識兩個不同的內容：

㈠所謂長生，就是「卻病延年」的引申，一個人瞭解了許多養生必要的學識，使自己活著的時候，無病無痛，快快活活的活著，萬一到了死的時候，既不麻煩自己，也不拖累別人，痛痛快快的死去，這便是人生最難求得的幸福。

㈡所謂不死，不是指肉體生命的常在，它是指精神生命的永恆。但這裏所謂的精神生命，究竟是什麼東西呢？它的本體，是超越於心物以外而獨立存在的生命原始；它的作用和現象，便是現有的生理和心理的意識狀態。至於精神的究竟狀況是什麼情形？那是另一個非常麻煩繁複的問題，留待以後慢慢的討論。其實，自古以來所謂的修道，乃至任何宗教最高的要求，都是要找到這個東西，返還到這個境界為目的，只是因文化系統、區域語言的不同，而使用各種不同的方法來表達它的意義而已。

那麼，道是可以修的嗎？「卻病延年」的「長生不老」之術，的確是有可能的嗎？就我的知識範圍所及，可以大膽的說：是有道可修，「長生不老」是有可能的。但是，必須瞭解，這畢竟是一件個人出世的事功，並非入世利人的事業。如果一面要求現實人生種種的滿足，同時又要「長生不老」而成神仙，那只有問之虛空，必無結果。「說郛」上記載一段故事：有一位名公巨卿，聽說有一個修道的人，已經活了兩百多歲，還很年輕，便請他來求教修道的訣竅。這個道人說：「我一生不近女色。」那位巨公聽了以後，便說：「那還有什麼意思，我何必修道。」其實，除了男女關係以外，現實人生的欲望，有些還勝過男女之間的要求，更多更大。同時，更必須瞭解，想要求得「長生不老」，這便是人生最大的欲望，當然也便是阻礙修道最大的原因了。一個人在世界上，要想學成某一門的專長，必須捨棄其他多方面的發展，何況要想達到一個超越常人的境界呢？道家的「陰符經」說：「絕利一源，用師十倍。」如果不絕世間多慾之心，又想達到超世逍遙之道，這是絕對不可能的事，至少，我的認識是如此，過此以外，就非我所知了。

靜坐的方法

至於問到靜坐的方法有多少種的問題，據我所知，只有一椿——靜坐。如果要說靜坐的姿態有多少種？那麼，它大約有九十六種之多。可是所有方法的共通目的，都是在求「靜」。那麼，「靜」，便是道嗎？否則，何以必須要求「靜」呢？這是兩個問題，同時，也是兩個不同的觀念，包括三個要點，不可混為一談。

(一)靜與動，是兩個對立的名辭，這兩個對立名辭的觀念，大而言之，是表示自然界物理現象中兩種對立的狀態。小而言之，它是指人生的活動與靜止、行動與休息的兩種狀態。道非動靜，動與靜，都是道的功用。道在一動一靜之間，亦可以說便在動靜之中。所以認為「靜」便是道，那就大有問題。

(二)求「靜」，那是養生與修道的必然方法，也可以說是基本的方法。在養生（包括要求健康長壽——長生不老）方面來說：一切生命功能的泉源，都從「靜」中生長，那是自然的功用。在自然界中，任何動物、植物、礦物的成長，都從「靜」態中充沛它生命的功能。尤其是植物——一朵花、一粒穀子、麥子等等的種籽，都在靜態中成長，在動態中凋謝。人的生命，經常需要與活動對等的便是休息。睡眠，是人要休息的一種慣性姿態，人生往復不絕的生命動能，也都靠充分的休息而得到日新又新的生機。

所以老子說：「夫物芸芸，各復歸其根，歸根曰靜，是謂復命。」「靜為躁君。」以及後來所出的道家「清靜經」等道理，乃至曾子著「大學」，以「知止而后有定，定而后能靜，靜而后能安，安而后能慮，慮而后能得。」等等觀念，都是觀察自然的結果，效法自然的法則而作此說。甚至，佛家的禪定（中國後期佛學，又譯為靜慮。）也不外此例。

㈢在精神狀態而言，靜是培養接近於先天「智慧」的溫床。人類的知識，都從後天生命的本能，利用聰明，動腦筋而來。「智慧」，是從「靜」中的靈光一現而得。所以佛家戒、定、慧的三無漏學，也是以靜慮——「禪定」為中心，然後達到「般若」智慧的成就。

那麼，用什麼方法去求「靜」呢？這是一個非常可笑的問題，而人們都是那樣輕易的問出來。「靜」便是「靜」，用心去求「靜」，求「靜」又加上方法，那豈不是愈來愈多一番動亂嗎？若在禪宗來說，便可以直截了當的答：「君心正鬧在，且自休去。」這樣說來，「求靜」根本便錯了，或者說：可以不必求「靜」囉！那也未必盡然。不必陳義太高，但卑之而毋高論的說，一般人的心理和生理狀態，經常習慣於動態；在心理方面，如意識、思想、知覺、情感等，好比多頭的瀑布、澎湃的江河，真有「無盡長江滾滾來」的趨勢；在生理方面，血液的通行、神經的感受、氣息的運行，時時刻刻都會發生苦樂的覺受，尤其在靜坐的時候，如果身體早已潛伏有病根，它可能會發生酸、痛、冷、熱、脹、麻、癢等感覺，比起不靜的時候還要強烈。「樹欲靜而風不止」，心欲靜而動亂愈多，所以一般初學靜坐的人，往往發現自己的思慮營營，非常雜亂，甚至，比起不靜坐的時候，反而更加煩躁、不安；因此更加恐慌，認為自己不應該「靜坐」，或者加上武俠小說與民俗神話等的傳說，恐怕「靜坐」會「走火入魔」。其實，這都是不明道理，自己頭上安頭，錯加誤會，構成心理上的陰影。

靜坐的心身狀況

為了便於瞭解「靜坐」時有關心理與生理的問題，首先要從心理說起。人，為什麼想要「靜坐」？這當然有很多的理由，倘使說：「白頭歸佛一生心」，或者「我欲出離世間」，未免太過儱侗。如果把它歸納起來，便如上文所說：為了「卻病延年」，希求「長生不老」，乃至說：為了「修道」，為了「養生」，為了「養心」等各種願望，總而言之，總有一個目的。

是誰產生這個目的？那當然會說：「是我。」那麼，是「我」那方面的動機呢？一定說：「是心」——這裏所謂的心，大約包括了現代觀念的腦、意識、思想等等名辭。好了，既然是我「心」想「靜坐」，或者說：「靜坐」先求「靜心」，何以在「靜坐」時，反而會覺得思慮營營，其心不能安靜呢？殊不知我人的心——意識、思想，由生到死，從朝到暮，根本就習慣於思慮，它猶如一條瀑布的流水，永遠沒有停止過；只是它與生命共同存在成習慣，自己並不覺得平常就有這許多思慮，一旦到了要「靜坐」的時候，在比較安靜，向內求靜的情況中，便會發覺自己的心思太亂。

其實，這便是「靜坐」第一步的功效。譬如像一杯渾濁的水，當它本來渾濁的時候，根本就看不見有塵渣。如果把這一杯水安穩的、靜靜的放在那裏，加上一點點的澄清劑，很快便會發現杯中的塵渣，紛紛向下沈澱。不是這杯水因為在安靜的狀態，而起了塵渣，實在是它本來便有塵渣，因為靜止，才被發現。又譬如一間房屋，平常看不見它有灰塵，當陽光忽然透過縫隙，才發現了光隙中有灰塵在亂舞紛飛，你既不要去打掃它，也不要用一個方法去掉它，只要不搖不動，不去增加，也不去減少它，慢慢的再靜止下去，它自然就會停止紛飛了。

但是在這裏最可能發生的問題，便是當比較安靜的情況來臨時，往往便會想睡眠，或者不知不覺，自己便進入睡眠的狀態。有了這種情形，又怎麼辦呢？那時，你要仔細審察，體會自己，倘使是從生理——身體的勞累，或者是心力的疲憊而來，不妨乾脆放身而眠，等待睡足了，精神爽朗時，再來「靜坐」。倘使發現心力和身體，並無疲勞的現象，那麼，最好起身稍作運動，或者特別提起精神，作到始終保持適度而安穩的靜態才對。

那一本是靜坐的最佳入門參考書

幾十年以前，要學「靜坐」的人，沒有明師（不是名師）指導，便不敢學「靜坐」，實在找不到明師的時候，便靠道書中的丹經（修煉內丹學做神仙的書籍），一知半解，盲修瞎煉。民國十三年以後，如張三丰太極煉丹秘訣、因是子靜坐法，以及由日本倒傳回來的岡田靜坐法、氣功秘訣等書，隨著時代的開明，教育的普及，印刷的發達，到處可以看到。抗戰勝利以後，佛家天臺宗修煉止觀的書籍，如小止觀六妙門、摩訶（大）止觀、袁了凡靜坐法正續編等也應運流行，普遍傳開。同時，由藏文翻譯成中文的密宗修法經典，或由英、法文轉譯回來的密宗書籍，也陸續公開。其中以密宗黃敎祖師宗喀巴大師所著的菩提道次第論中，「修止與修觀」的抽印本，與天臺宗大小止觀的方向相同，較為穩當妥實。但有關佛家修習靜坐（禪定）的書籍，又必須與全部佛學的教理相融會，才能相應。

因是子靜坐法的利弊

在這些書籍中如果要說那一本書，可做初步入門最正確的指導，實在都不太合適。而合於佛道兩家正統的典籍，學理又不簡單，至於不太合於正統道理的書，問題又太多。在無書可資遵循的時候，比較普遍為人所樂道的，便是蔣維喬先生所著的「因是子靜坐法」，多少人如法炮製去學靜坐，多少人想使自身上發生氣脈感受，做到和他一樣。其實，「因是子靜坐法」，只能說是蔣維喬先生本身學「靜坐」的經驗談，或者可說是他學習「靜坐」的反應實錄，可以貢獻給大家做參考，但絕不是金科玉律，更非不易的法則。我們首先須要瞭解，蔣先生開始學習「靜坐」的時候，早已患了嚴重的肺病，一個人到了有病的時候，心境反而比較寧靜。情緒雖然近於消極，有時思想反而清明，「有病方知身是苦，健時多向亂中忙。」這是人之常情。因為他本身有肺病，所以必須要在靜中休養，等到生理恢復本能活動的時候，相當於道、佛兩家所說的氣機或氣脈便會發生作用，循著中國醫學所說的人身十二經脈的流行，於是氣機到達某處，該處就自然產生某種感受。在這種情況當中，只要不去揠苗助長，任其自然流行，便是最好的生理療法，對任何一種疾病都有效，何況是必須靠靜養治療的肺病。總之，任何中西醫藥治療疾病的根本方法，都靠靜養，所有中西藥物，只有幫助治療的功效，並無絕對去病的作用。疾病之所以恢復了健康，得到藥物幫助的效果，僅有十之三、四，靠著臥床住院的靜養，因此引發本身體能的治療效果而重獲生機，卻佔十之六、七的重要。就是使用外科手術後的醫療道理，也並不外於此例。何況有關心理和精神病的治療，同樣不外於此理。

瞭解了這些道理以後，便可知道「因是子靜坐法」所說氣機發動和氣脈流行的境界，這只是著者蔣維喬先生有病之身學習靜坐後的現象和經驗，不可以偏概全，認為人人必會如此，視為千篇一律的定則。如果不懂得這個道理，依照「因是子靜坐法」去實驗「靜坐」，而且就把它視為師法之當然，必定會弊多益少，適得其反。

人體的氣機是怎麼一回事

東方古代的醫藥之學，皆與巫術同源共祖，中國的醫學，也不例外。在三千年以前，中國的醫藥之學，由巫醫而轉入道家的方術（又稱為方技），這是周、秦之間的事。中國的醫學和道家的方術，以及印度自古相傳的瑜伽術，都承認人身生命的泉源，在於人體內部所潛藏無限氣機的庫藏。不過古代道家的丹經，這個氣字，是用原始的「炁」字。如用拆字的方法來講，「无」卽是「無」的古字，下面四點卽是「火」字的假借，換言之，「無火」之謂「炁」。什麼是「火」呢？淫慾、情欲、躁動的意念都是火。沒有了這些躁火（等於中醫書上所說的相火），元氣大定（君火正位），漸漸便可引發固有生命的氣機。氣機的流行，它依循晝夜十二個時辰（中國古代的計時方法，與宇宙日月運行的規則相通），周流人身氣脈（十二經脈）與腑臟一周。而且在每一時辰之中，經過氣脈的部分不同，就又研究出人身穴道的學說，發展成為針灸之學。

除了醫學所稱的十二經脈以外，另有不隸屬於十二經脈的氣脈，便是道家特別重視的「奇經八脈」。「奇經」的奇字，並不是奇怪的意思，而是「單支」的意思；也便是涵有特殊的、單獨的含義。「奇經八脈」，包括了督、任、衝、帶、陽維、陰維、陽蹻、陰蹻等八根脈腺。督脈便是莊子在「庖丁解牛」篇中所提及「緣督以為經」的督脈，大約相當於現代醫學所說的中樞神經系統的脊髓神經。任脈則相當於現代醫學的自律神經系統與腑臟的關係。帶脈相當於現代醫學的腎臟神經系統。陽維、陰維則和現代醫學的大腦、小腦與間腦的神經系統有密切的關聯。陽蹻、陰蹻相當於現代醫學的生殖神經，包括攝護腺與手足等主要神經作用。唯有衝脈很難說，擴充其量而言，它在中樞神經與自律神經之間並無固定部位和系統的範圍；它由生殖機能與睪丸之間的小神經叢開始，一直經過胃與心臟部分而上冲間腦。

只有打通氣機的人，才能切實體會得到氣脈的狀況，而後相信確有其事。但特別須要聲明的，我非專門學醫的人，所引用中西醫學上的名詞，僅是研究心得，強作解人加以說明而已，不可拘泥屬實。

此外，由印度上古瑜伽術的傳承，經過佛家的洗煉和整理，而成為佛教密宗一派的修煉方法，也很注重人體的氣脈，以三脈四輪（詳稱七輪）為其主要的體系。三脈，卽是人體平面的左、右、中三脈，不同於道家以前（任）、後（督）、中（衝）等三脈為主。四輪或七輪，便是人體橫斷面神經叢的幾個主要部位，與道家的上、中、下三丹田之說，各有不同的概念，卻有大同小異的效果。

丹田與脈輪是什麼

說到氣與丹田，學習西醫與生理解剖學的人，便會引為笑談，認為人體上根本就沒有這回事，這是愚昧和迷信，或者是道家的人故作神秘之說。如果講到瑜伽術的三脈七輪，倒也並不反對，因為近年以來，瑜伽術在歐美很流行，在外國學了幾手再三變相而不到家的瑜伽術，回來大開教門，倒也大受歡迎。因為這是進口貨，從外洋學來的，一定不錯。我們可憐的這一代啊！「無洋不是學，有外才稱尊。」將來留給中國文化發展史上的一頁，必定是可憐可悲的笑料。其實，現代所謂的生理學，嚴格的說，只能稱為人體解剖學。否則，便可稱它為死理學了！因為現代對人體的生理學，都以解剖人死之後的身體而得到的證明，並非像中國古代，從活人的身上求得證據。道家所說的三丹田：上丹田，在兩眉之間橫通間腦的部位；中丹田在兩乳之間橫通肺與心臟的部位；下丹田，在臍下橫通腎臟之間與大小腸的部位。另有所謂中宮的，便是胃脘與橫隔膜之間的部位。這些現象和作用，都是人體生命在活著的時候，與呼吸系統發生連帶的關係。丹田，不過是道家修煉觀念中的代名辭，並非此中真會煉成一顆丹藥，假使真有，便會成為腸癌、心肺等癌，或肝瘤了，希望學道的朋友們，切勿迷信內丹真會成粒的誤解。

瑜伽術所說的脈輪，經過西方科學文化的洗禮，一般瑜伽家們便認為它是生理學所說的神經叢，由間腦一直到會陰各部位，分別為之定名。脈輪是否便是神經叢，很難說；脈輪與神經叢有密切的關係，那是事實。

靜坐與氣脈

人在靜坐的過程中，心理的雜想比較清靜，頭腦中的思慮比較減少，所以血液流行也比較緩慢，心臟也因此減輕負擔。同時因為身體的姿勢放置端正，不再運用動作來消耗體能，腦下垂體的內分泌平均分布，漸漸感覺四肢與內部，發生充滿的感受。有了這種感受發生以後，反應最為敏感的，便是中樞神經和背脊骨的末端，連帶腎臟部分，通常都會有脹緊的刺激。由此逐漸推進，循著氣機和血脈的流行，如有物蠕動，逐部發生感覺。但以上所說的現象，是以普通一般人，在「靜坐」中較為正規的初步狀況而言，如果身體有特殊的情形，倘有某種病痛，或體能特別強健的，又當別論。總之，每個人的心身，各有不同的情況，其中千差萬別，不能一概而論，如果執一不變，真像「刻舟求劍」，愈來愈不對了！

關於氣脈問題，如要詳細論述，不是片言可盡，留待以後慢慢道來。現在要講的主旨，仍然繼續前面「靜坐」的求「靜」問題，我們要特別留心。為了便於容易瞭解，先把心理和生理作用，歸納為知覺與感覺兩個部分；所謂知覺，包括心理思慮想念等等現象。所謂感覺，包括身體氣機覺受等等作用。但綜合起來，兩者都是心的動向。人在靜坐中，感覺體內氣機發起作用時，最容易犯的錯誤，便在不知不覺中，會把注意力集中在感覺上面，而且愈來愈強，於是，全部心力，就會攪亂氣機，構成幻想、聯想等的狂亂心理。比較稍好一點的，認為自己氣脈已通，便沾沾自喜。其實，真的打通氣脈現象，並非如此情形。再差一點的，由於氣機的覺受，使注意力過分的集中，於是無形中配合意識的幻想等心理作用，反使神經過於緊張，便成為一般所說「走火入魔」的病態了，這不是「靜坐」會使人著魔，實在是不明「靜坐」的究竟道理，反使心理變態之魔害了「靜坐」的靜境了！

儒佛道三家的靜坐姿勢

儒、佛、道三家的靜坐姿勢，歷來相傳有九十六種之多，其中當然包括幾種臥睡的姿勢與方法。通常所用的姿勢，如佛門中的各個宗派，修習禪定的方法，大多採用七支坐法，又簡稱它為跏趺坐，俗名盤足坐法。

宋以後的儒家——理學家們，由於大程夫子——程顥（明道），變更佛、道兩家修煉靜坐的心法，因襲禪宗大師修習禪定的工夫，著作「定性書」一文，主張在「靜」中涵養性理的端倪開始。他的老弟二程夫子——程頤（伊川），又加上「主敬」為其陪襯，從此儒門也主張靜坐。但是他們所取的靜坐姿勢，便是平常的正襟危坐，所謂端容正坐便是。至於道家，有時卽用佛家的七支坐法與臥姿，有時又穿插許多不同的形態，配合生理的需要與煉氣修脈的作用。大體說來，儒、佛、道三家的靜坐姿態，並不外於此法。

七支坐法的形式

所謂七支坐法，就是指肢體的七種要點（如附圖）：

㈠雙足跏趺（雙盤足）。如果不能雙盤，便用單盤。或把左足放在右足上面，叫作如意坐。或把右足放在左足上面，叫作金剛坐。開始習坐，單盤也不可能時，也可以把兩腿交叉架住。

㈡脊樑直豎。使背脊每個骨節，猶如算盤子的疊豎。但身體衰弱或有病的，初步不可太過拘泥直豎，更不可以過分用力。

㈢左右兩手圜結在丹田（小腹之下）下面，平放在髈骨部分。兩手心向上，把右手背平放在左手心上面，兩個大拇指輕輕相拄。這在佛家，便叫做「結手印」，這種手勢，也叫做三昧印（

就是定印的意思）。

㈣左右兩肩稍微張開，使其平整適度為止，不可以沈肩髀背。

㈤頭正，後腦稍微向後收放。前顎內收（不是低頭），稍微壓住頸部左右兩條大動脈管的活動即可。

㈥雙目微張，似閉還開，好像半開半閉的視若無覩。目光隨意確定在座前七、八尺處，或一丈一、二尺許。（如平常多用眼睛工作的人，在靜坐之初，先行閉目為佳。）

㈦舌頭輕微舐抵上腭（參考三十九頁附圖），猶如還未生長牙齒嬰兒酣睡時的狀態。

附帶需要注意的事項：

㈠凡在靜坐的時候，必須使腦神經以及全身神經與肌肉放鬆，絕對不可有緊張狀態。最好是微帶笑容，因為人在笑時，神經自然會全部放鬆。

(二)初學靜坐者，不可以吃過飯就打坐，以免妨礙消化。同時也不能在肚子餓時打坐，以免分散心神。

(三)靜坐時空氣必須流通，但是不能讓風直接吹到身上。

(四)靜坐時光線不能太暗，否則容易昏沈；光線也不能太強，否則容易緊張。

(五)氣候涼冷的時候，要把兩膝和後腦包裹暖和，即使熱天打坐，亦不可使膝蓋裸露。

(六)初學靜坐不要勉強坐太久。以時間短、次數多為原則。

(七)初習靜坐時多半無法雙盤，則以單盤為宜。單盤時臀部必須加坐墊，坐墊的高矮依各人身體狀況而定，總以舒適為原則，如果坐墊太高或太矮，都會使神經緊張。至於坐墊的軟硬程度也必須適中，否則引起身體的不適，則影響靜坐的心情和效果。

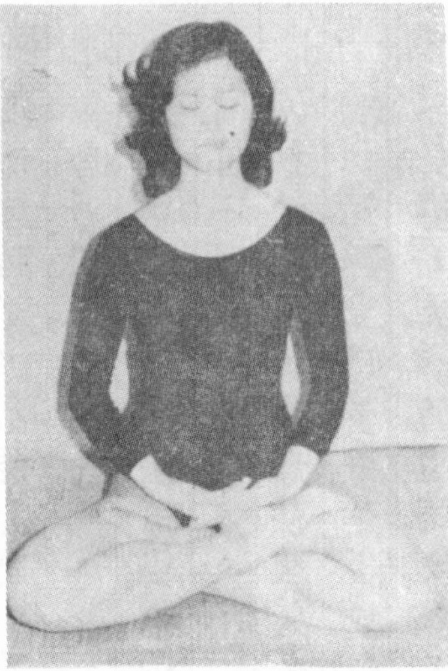

跏趺坐正面

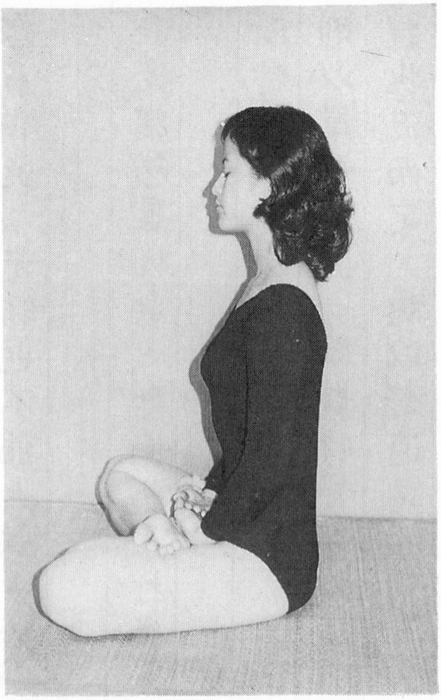

跏趺坐側面

說明：㈠兩腿雙盤的跏趺坐為最正規的七支坐法。

㈡跏趺坐也要加坐墊。除非氣脈全通，才可以不墊。

㈢初學靜坐多半無法雙盤，則酌情採用三十五頁至三十八頁之其他坐姿。

金剛坐正面（右腿放在左腿上）

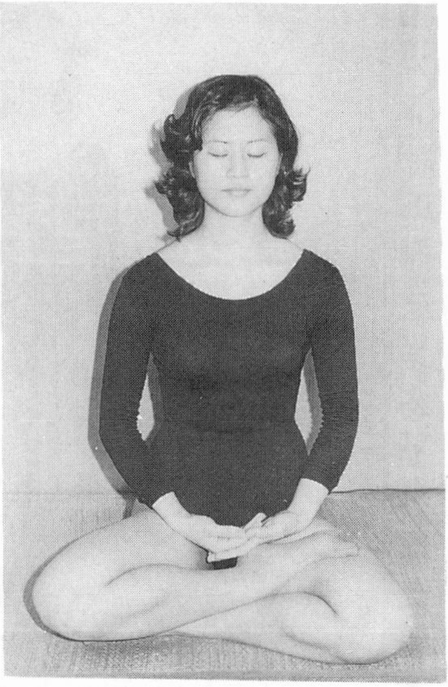

如意坐側面（左腿放在右腿上）

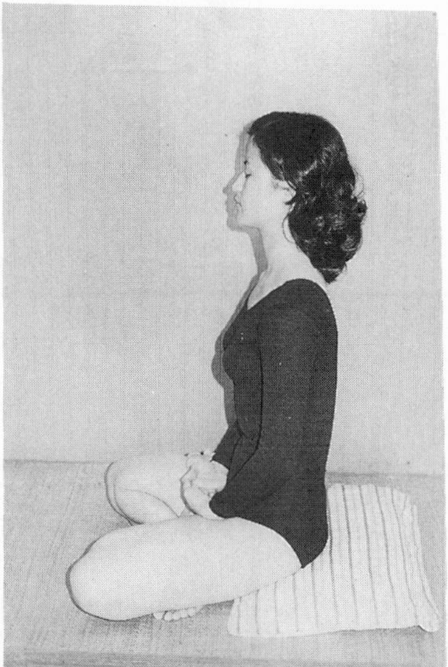

說明：㈠坐墊約兩、三寸。隨各人舒適度自作調整。

㈡初習靜坐無法兩腿雙盤，則採用單盤。隨各人生理狀況，自由選取金剛坐或如意坐。

㈢如果無法單盤，或者單盤坐到腿麻，而想繼續用功，則可改用下列任何一種姿勢。

正襟危坐

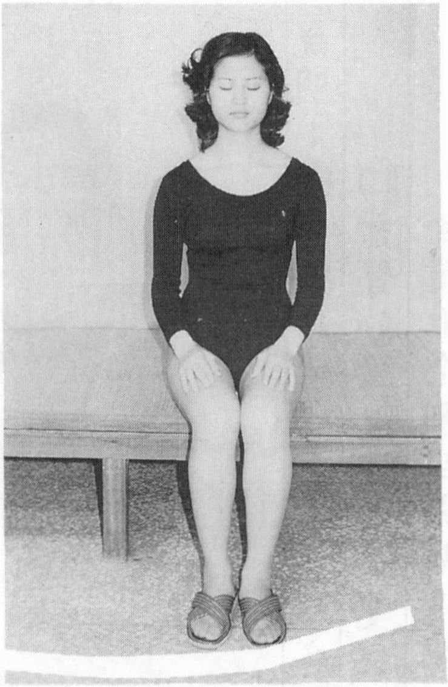

吉祥臥

說明：㈠正襟危坐為歷來儒家所慣用的靜坐姿勢。

㈡吉祥臥為佛家所主張的睡姿。孕婦如果單盤對腹部造成壓力，可改用吉祥臥，或任意選取對自己較為舒適的坐姿。

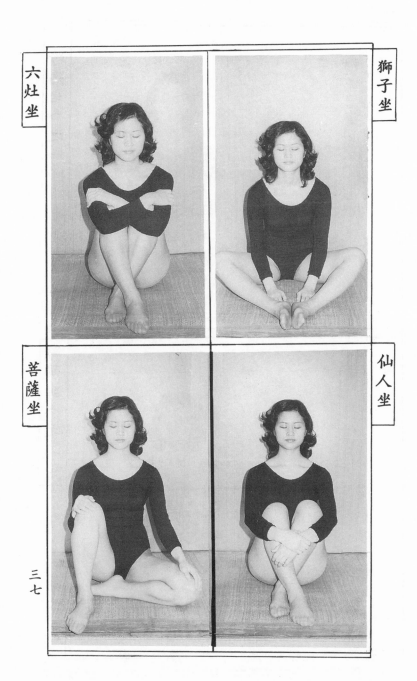

六灶坐

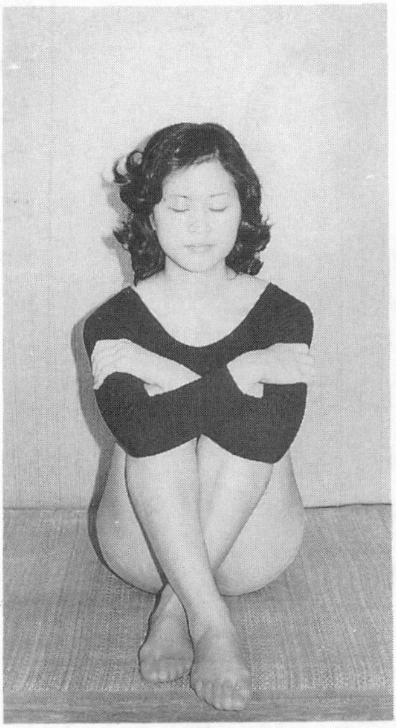

獅子坐

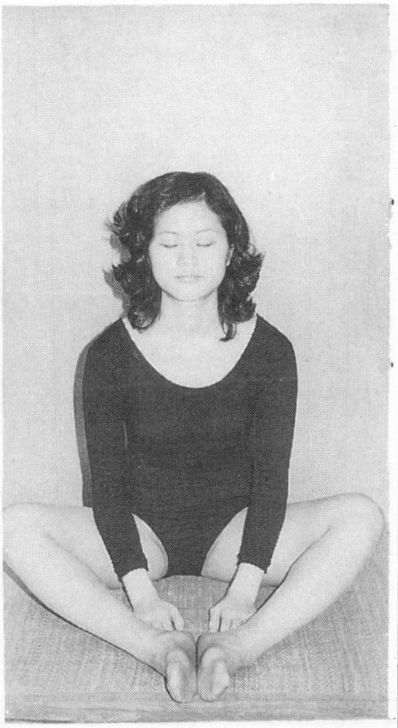

菩薩坐

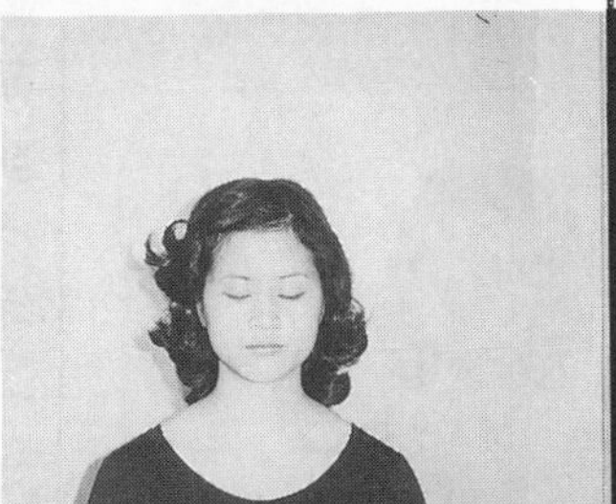

仙人坐

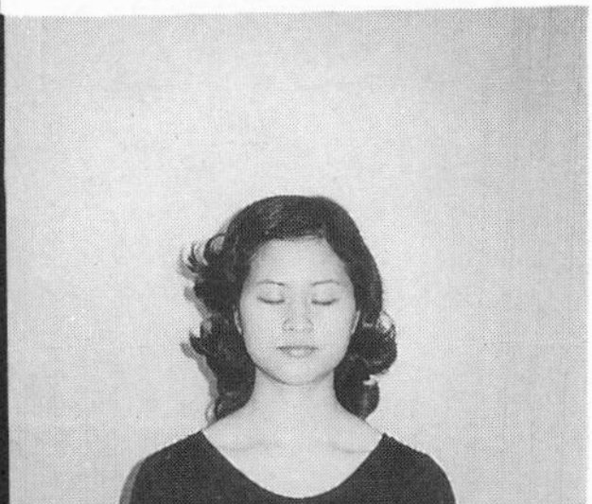

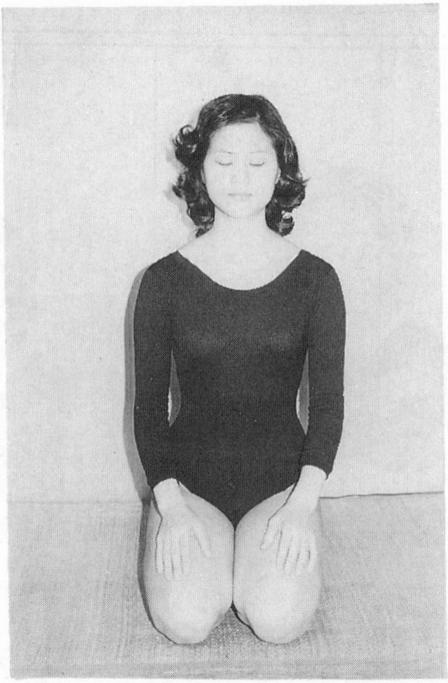

跨鶴坐（之一）

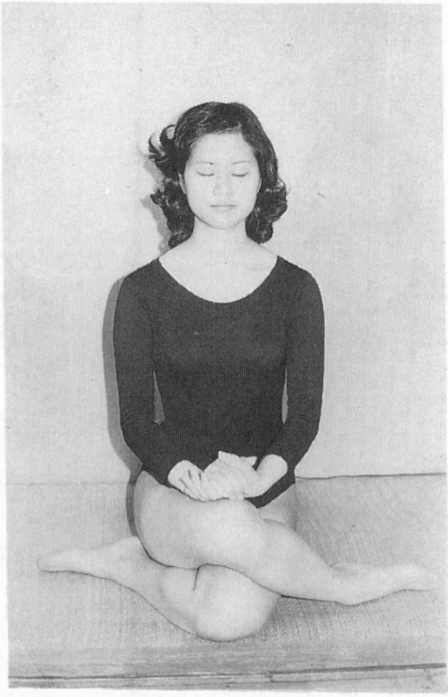

跨鶴坐（之二）

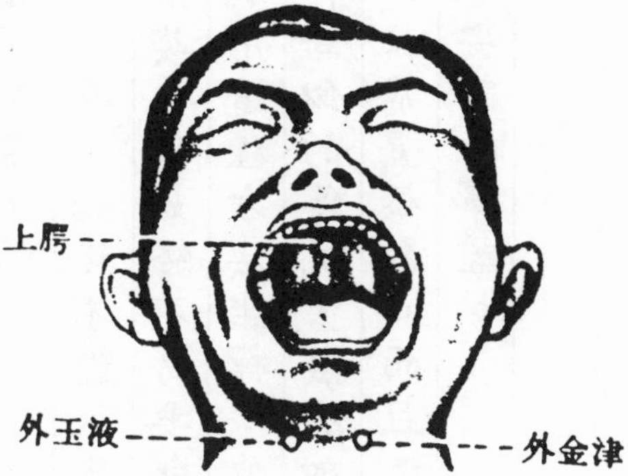
上腭
外玉液
外金津

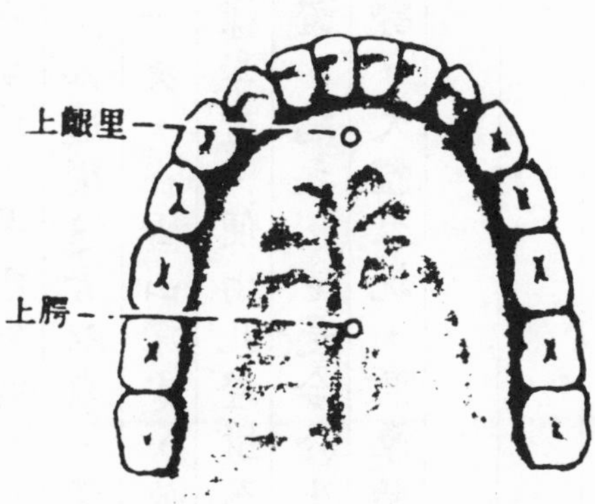
上齦里
上腭

有關七支坐法的傳說

根據佛經上的記載，這種七支坐法，早已失傳，後來有五百羅漢，修持多年，始終不能入定。雖然知道從遠古以來，便有這種靜坐入定的坐姿，但始終不得要領。有一次，在雪山深處，他們發現一群猴子，利用這種方法坐禪，他們照樣學習，便由此證道而得阿羅漢果。這個神話似的傳說，無法加以考證。總之，它是合於生物天然的法則，那是毋庸置疑的。而且這種姿勢，大體來說，很像胎兒在母胎中的靜姿，安詳而寧謐。

叉手盤坐與健康的效果

人體的神經系統，大體説來，都以脊椎為中心，左右交叉分布，隨著意識的支配而發散為肢體感官的動作。猶如樹木的枝條，依據它的中心樹榦，向外分散而至於枯落。七支坐姿將手足加以盤曲，可使左右氣血交叉散發而歸於原始整體的圓極。等於説：採取這種姿態，可使左（陽）右（陰）的人體電能，自身互相交流，即可減少散發的作用，又可自相調劑而恢復體能的原動。

七支的坐姿，因為雙足盤曲，兩手交叉，使四肢活動靜止，便可減輕心臟的負擔，所以靜止的時間愈久，對於恢復心臟功能的功效愈大。

關於頭腦的健康功效

七支坐法的靜姿，必須將頭頂端正，大腦稍微靠後，以使腦下垂體，不受壓迫而恢復正常。因此腦下垂體內分泌的均衡活動便影響淋巴腺、甲狀腺，而至於腎上腺等恢復健康的作用。

其次，下顎稍微向後收壓，可使左右兩大動脈管輸送血液到腦部去的工作緩慢，可以減輕腦神經的緊張與思慮，對於血壓有恢復正常的功效。

其他有關閒腦和眼、耳、口、鼻等的細節，在此不盡詳說。

盤足曲膝與健康

有些人懷疑，盤足靜坐，不但對人體的健康有礙，甚至，反而因兩足的血管被壓迫而致病，所以靜坐久了，便有酸麻的現象。這是誤解。其實，人體的健康，與腿和足有極大的關係。中國古代的道家醫理，認為「精從足底生」，那是不易的至理。一個人的健康長壽，與兩腿雙足有絶對的關係。所以嬰兒與小孩的活動都在兩足。一過中年，腰部以下和足腿就漸感無力，喜歡疊足或蹺足而坐。人的衰老與死亡，也多是從足腿開始而逐漸至於軀幹與頭部。盤足曲膝靜坐，感覺足腿的酸麻，正是說明足腿的神經與血脈並不通暢，證明你的健康已有潛在的問題。所以放開足腿，等待酸麻過後，反有從未經驗過的快感。如果持之有恆，能坐到足腿的氣血流暢，保證足腿而上至於腰背以及全身，會有無比的快感發生，反不願意下座而鬆散雙腿了。

其次，必須瞭解人體猶如植物一樣。一棵樹木，盤根曲折在泥土之下，得到日光、空氣、水，以及土壤的營養，才能生長茂盛。人呢！却和植物顛倒相反，他的根在頭部，他的土壤就是虛空。人體的兩足，好像人參的枝叉，所以把兩足盤曲起來，等於把一株人參或松枝捲曲成結，使它的生發能力，不致再向外面分散，反歸根本而培養它的本源，因此使其本身更加健壯。所以盤足曲膝，不但無妨人體的健康，而且從適當的練習開始，對於健康長壽，是絕對有利而無害的。

學習靜坐如何用心

靜坐並不難，用心實不易。一般學習靜坐的人，十分之七，為了健康長壽；十分之二的人為了好奇而求玄求妙，或者想達到神通，如放光、預知等境界；十分之一的人為了求道；而真正瞭解道是什麼，修道的正法又是什麼，則幾乎是萬難得一。

關於學習靜坐如何用心的問題，首先須要瞭解學習靜坐的目的何在？如此才能切實商榷如何入手和如何用心。現在一般較為普遍流行的靜坐用心方法，大體歸納起來，在東方的中國方面，都可納入傳統文化的儒、釋、道三家。此外，有瑜伽的靜坐用心方法、有從歐美回籠的催眠術，以及其他宗教的祈禱、齋期、避靜等，也都屬於靜坐的用心方法之一。但在中國，通常最流行的靜坐中，用心的方法大體都以佛、道兩家為主，縱然有許多方法，不屬於佛家或道家的正統，但已積非成是，而都認為那些就是佛、道的方法，在此不必嚴加區分，徒事理論。

在佛家的方法中，現在最流行的，便是唸佛、修止觀，或觀心、參禪等。至於，篤信密宗的，便以持咒、觀想等為正當的用心方法。各執一端，輕視餘者。不過，在佛家的用心方法中，除了部分學習西藏流傳的密宗以外，的確都是重視「修心」為基礎，不大注意身體生理上的變化，而且認為重視身體生理變化者，便是外道之流。甚至，大有嗤之以鼻，不屑親近之概。

但在道家的方法中，却極端注重身體生理的變化。甚至，認為由於靜坐修持的方法，達到身體生理預定的效果，打通任督二脈，以至於通達奇經八脈，恢復健康，增加壽命，才是道的真正效果。倘使如佛家一樣，只知「修心」而不知身體生理的奇妙，便不合道。所以道家者流，便認為佛家的修法，只知「修性」而不知「修命」，並不完全。因此道家主張「性命双修」，才是正道。並且說：「只修命，不修性，此是修行第一病。只修祖性不修丹（命功），萬劫陰靈難入聖。」

乃至引用「易經」的觀念與「中庸」的大旨，確定「窮理，盡性，以至於命」作為無上的原則。

其實，無論佛家或道家，乃至其他各宗各派所謂的旁門左道，除非不講究靜坐修持，便無話說。倘使進入靜坐修持的法門，試問：除了這個生理的身體，和有知覺情感的心理思維狀況以外，還有什麼方法能夠離開身心以外而可以起修的嗎？假定是有，那便是從事物質科學的研究，或者專門注重醫藥，或藥物化學、生理化學等的事情。它與人生生命起修的方法迥然不同，一個是藉著自己生命的自在功能而求證形而上道；一個是藉外物的實驗，而瞭解宇宙物理的奧秘。

存想與精思

「存想」，亦稱「存神」，這是中國古代道家所用的名辭。秦漢以後到魏、晉之間，講究道家方術的，大都以「存想」為主。道家古老的丹經，如「黃庭內外景經」等，便是以「存想」「存神」的方法為中心。漢代的張道陵（天師道的創始者）、北魏的寇謙之（另一天師道的重要人物）、南朝著名的仙家陶弘景，和他所著的「真誥」，也都是以「存想」「存神」的方法為主幹。另如佛家密宗的「觀想」，以及其他各個宗教的祈禱、禮拜，也都是以「存想」做為修道的方法。

「精思」，也是中國古代道家所用的名辭。但嚴格說來，「精思」與「存想」「存神」，有迴然不同之處。「存想」，是屬於鍛煉精神的法門。「精思」，是屬於運用「思維」而達到最高「智慧」成就的狀態。所謂「精思入神」的觀念，便如易經繫辭傳所謂「精義入神」的道理，完全相同。南朝到隋、唐以後，佛家有了禪宗的創建，而禪宗到了宋、元以後，又有「參禪」與「參話頭」等方法，強調一點說，也便是「精思入神」的另一途徑而已。後來宋儒理學家程明道的詩說：「道通天地有形外，思入風雲變態中。」也是由「精思入神」的觀念，變為理學家幻想境界的誇大詞。

但「存想」與「精思」，既不是魏、晉南北朝以後道家「煉炁」的修法，也不是明、清以來道家「守竅」的修法，更不是「煉精化炁，煉炁化神，煉神還虛」的修法。凡是這些道家的方術，嚴格的說來，各有各的範圍和作用，不可混為一談。可惜的是，歷來學習道家神仙、方士丹法的人，只一味為自己求作神仙，而認為只要有了明師的指點，傳授一個千古不傳的秘訣，就可「立地成仙」、「白日飛昇」。因此素來忽略學理、輕視原理和理論，致使道家的方術，既不見容於縉紳先生等士大夫階級的知識分子，又不能自圓其說而構成有條理、有原則、有方法的神仙丹道的科學。因此不但「一枕遊仙夢不成」，結果反而空勞幻想而貽害無窮。

「存想」的方法雖然太為古老，但是西方流行的神秘學，却與「存想」的精義息息相通。西方的神秘學派，號稱淵源於大西洋和埃及的上古文化。東方中國道家的「存想」和「存神」，自始即認為淵源於遠古的神仙所傳。窮源溯本，此二者之間的蹤跡，似乎都是同一來源。由於這是屬於學術的「考古」問題，故在此不能詳論。至於談談「存想」的用心方法，對於靜坐與修道的關係，也似乎陳義太高，不容易為現代一般流行的急功好利等學道者所接受，所以也暫且不談。而論及「存神」的作用，更具有原始濃厚的宗教精神，它的學理與神秘學一樣，富於多方面而且有極高深的奧義，際此宗教精神趨於沒落的時代，所以也暫時不談。況且「存想」和「存神」的方法，最為精密而有系統的，莫過於「密宗」，留在討論「密宗」的修法時，再加參考。

安心守竅的方法

現在要講的，只是有關於「守竅」與「精思」的用心方法。一般學習靜坐的人，最容易，也最普遍的，便是講究「守竅」。嚴格的講，「守竅」的重點，它是注重在生理的方法。換言之，開始學習靜坐或者修道，便以「守竅」為主，而且必從「守竅」入門；那就是說，他在原則上，首先便承認這個形骸軀殼的身體，就是道的基本所在。因此只要把握住這個「竅妙」，守通了這個「竅」，他便可以得道。至少，也就可以長生不老了。其實，所守者是「竅」，能守者是「心」，它的根本，還是依據心的作用而來。況且那裏才是真「竅」？何人須要「守竅」？誰又不須「守竅」？那個該守何「竅」？那個「竅」又不該守？這些都是很大而且很重要的問題。有人說：「一竅通而百竅通」，所以認為只要守通一竅，便可得道。然而人身有「九竅」：面上有兩眼、兩耳、兩鼻孔、一張嘴等七個竅，下部有大、小便二竅。試想，上部七竅皆通，但結果仍有便秘或小便等病症。如此，到底是不是「一竅通而百竅通」呢？如果說：此竅非彼竅。那麼，人身有三、四百個穴道，無論守那個竅，它都離不了穴道的部位。試想，某一穴道閉塞，其他穴道仍然流通，或者其他穴道閉塞，某一主穴流通時，它何以又不能作到「一竅通而百竅通」呢？假使說：此竅亦非這些穴道的竅，它是無形無相無定位的道竅。這便是心理的構想所造成，它就屬於「存想」的範圍，而並非在生理上真正有一個竅可守了。可是一般學習靜坐或修道的人，一開始，便「守竅」。大體上，都以人體中樞神經有關的上中下三部為主竅，而稱它為上中下三丹田。其實，丹田的名稱，也是宋、明以後的道家才開始流行。（有關三丹田的道理，已在本文二十三頁有所說明，在此不贅述。）

當心守竅的後果

平常一般學習靜坐的人，大體上都注重守在下丹田一竅，所謂「氣沈丹田」，或者「藏神於丹田」，乃至「意守丹田」等，卽此之謂。有的認為只要守住了下丹田，便可「藏精固氣」，或者「煉精化炁」。其實，從中國醫學針灸等有關穴道的理論來講，關於下丹田部分，前有「氣海穴」，後有「命門穴」，也就是現代醫學、生理學中腎上腺的主要部分，這的確是人體生命很重要的關鍵所在。但是男女老幼，以及有病或無病的人，乃至腎上腺特別發達或特別衰弱的人，能不能守此下丹田的部位？或者可不可以守此下丹田？都是很大的問題，如非明師（有經驗、有智慧、有成就的師長）指導，有時反而為害無窮。例如腎臟衰弱，或本來患有遺精、手淫，以及其他有關疾病，如陽萎、早洩等人，開始守此，將促使此類病症，更加嚴重。當然其中也有少數例外，那是生理上其他原因偶然的巧合，絕非初步合理的成果。如果女子學習靜坐，專門敎以守下丹田的一竅，流弊更大，甚至，可能促成血崩等症，或者產生性變態心理等嚴重病症。至於專守上竅（眉心或頭頂），也要特別注意年齡、生理、疾病等情形而定。如果一味亂守上竅，很容易促使血壓增高、神經錯亂等嚴重病症。有些人因守竅日久，稍有效果，就有紅光滿面的現象，自己乃至別人，就都認為是有道的高人。其實如果年齡老大的人，一有這種現象發生，就必須當心腦溢血等症。此外，倘使身體上本來潛伏有性病的病菌，而並未徹底治療痊癒，久守上竅，反而容易把性病的病菌引入腦部，而發生種種不堪設想的後果，此點尤須特別注意。總之，學習靜坐與修道的方法，欲求長生不老的方術，自古至今，它始終與醫學中精神自療學、生理自療學、物理自療學有密切的關係。甚至，可以強調的說，這是一種醫理中的醫學，它已進入於利用精神的神秘力量和利用宇宙的神秘力量的醫學，如果不通此中最高原理，而自作聰明，妄加修證，真還不如悠遊卒歲，以終天年，為人生順其自然的最高享受。何必弄到「服藥求神仙，反被藥所誤」的悲慘下場呢！

守竅與存想的原理

因為講到「存想」與「守竅」，就順便說明一下「守竅」於「丹田」的情景。我不是說「丹田」絕不可守，也不是說「守竅」的方法是不對的。也許有人看了上述這些道理，反而駭怕却步，那都大可不必。「守竅」有「守竅」的需要，「丹田」有「丹田」的作用，但不可以不通原理，便亂來亂守。其實，「守竅」的方法，也便是「存想」的蛻變。「存想」的作用，便是使「精神統一」，使心理與意志絕對集中的一種方法。上文已經提過所守者是「竅」，能守者是「心」，便已指明這是由心理意志的集中開始，最後達到「精神統一」的境界。它所以利用人體生理的部位，作為初步入手的法門，大致說來，有兩個原因：

㈠人人都愛惜這個軀殼身體的壽命，不管多麼醜陋、多麼難堪的身體，只要生成是屬於自己的，便會構成絕對自私而佔有它的牢固觀念。因此以修此肉身而達到長生不老為標榜，於是人人便肯用功向學。

㈡生理與心理的作用，的確是二而一、一而二的一體兩面。生理可以影響心理，心理也可以影響生理。由心理與生理的互相虬結，因此而產生精神的神妙，所以道家利用身心的關係入手，並非是毫無道理的修法。「守竅」的作用，它的重點，便在一個「守」。所謂「守」，必須要全部精神意志集中才可。只要精神意志真能集中，這個「守」的作用便可達成目的。譬如有一大堆金銀財寶擺在前面，要你專心一志「守」住，那時，你便可以廢寢忘餐。甚至，也可以忘記自己的身心而竭誠「守」住這堆金銀財寶，這就是「守竅」的最好說明。

可是要學靜坐與修道的人，對於「守竅」的工夫，真能做好嗎？老實說，十個靜坐修道的人，幾乎沒有一個可以做好。大體上，都是一邊利用感覺來覺到這一部位，而他的思想意志，卻絕對不能集中在這一部位。換言之，他一邊感覺到這一部位，那是生理神經感覺的反應，但一邊卻胡思亂想，或浮念紛飛，那是心理的散漫，有絕對不能集中的苦惱。這種現象，究竟是什麼原因呢？因為精神與意志，它是一個很神妙的東西，你愈想要它集中，它愈會散亂。我常用「力學」的原理來解譬，也就是說，當「向心力」集中到極點的時候，「離心力」便在「向心力」中發出自然的反應。相反的，當「離心力」達到極點的時候，「向心力」的作用，也便自然而生。等於你握拳握緊到極點的時候，你的手指神經的反應，就會自然放鬆。所以道家把這個精神和心理意志的作用，比方它像水銀（汞），它的性質，總是趨向流動散開，甚至於分散到無孔不入的情形。因此，要想利用「守竅」或「存想」而達到精神集中的專一狀態，就非簡單的事了。精神不能集中專一，而要想打通氣脈，達到身心預期的效果，那是絕不可能的事。此中對於心理運用的神妙，更非片言可盡。沒有達到精神集中專一的妙用，認為氣脈已經打通，絕無此理。有的，只是屬於幻想的妄覺，或是生理上特殊的感覺情形，並非真正的氣脈通了。因為氣脈打通的現象，一步有一步的徵候，一步有一步的現象，如果以我這個普通凡人的眼光看來，幾乎沒有一個人真能做到的。

守竅與煉氣

從道家修煉的方術來講，「守竅」與「煉氣」，並不是同一件事。「守竅」，是利用意識心的作用。「煉氣」，是用意鍛煉呼吸。但無論「守竅」與「煉氣」差別異同的作用是如何，它都離不開「存想」的關係。一般從事修道或靜坐的人，不管從「守竅」入手，或「煉氣」入手，都認為氣與靜坐、氣與道、氣與長生不老的健康之術，是有絕對的關聯。尤其專煉「氣功」與專修「瑜伽術」的人，對於「氣」，更為重視。從清末到現在六十年來，由於內家太極拳的普遍流行，所謂「氣沈丹田」的太極拳原則，幾已成為家喻戶曉的術語了。因此，許多學靜坐的人，一上座，便吐故納新似地把呼吸之氣引向「丹田」，希望做到「氣沈丹田」，以便可以入道。

此外，還有許多修煉各種不同的氣功，乃至各種不同道術的人，經常來問用什麼方法，或如何修煉，才能使「氣機」凝住在「丹田」？或者問怎麼樣才能把氣機停留在某一處？關於這些問題，我覺得非常有趣，我經常會反問他們：譬如有一隻中空的皮袋，或者有一個中空的皮球，你把空氣打進去了，希望這股「氣」只停留在這隻皮袋，或皮球的某一處，你能做到嗎？無可否認的，都會答說：那是絕對行不通的事。由此答案，也就可以瞭解人的形體，內在雖有百骸與五臟六腑，但是它仍然猶如一隻中空的皮袋或皮球一樣。「氣機」內行，它是無所不通，無一處而不周流自在的。「氣機」只是停留在體內的某一部分，除非是內部的生理機能已經有了障礙，生了重病的人才能如此。一個正常無病的人，絕對不可能如此的。

如果說：有些從事「守竅」或「煉氣」的人，的確可以做到，並非是不可能的事。那麼，我可以告訴你，那是自己心理意識所造成的錯覺作用，而並非真有一股「氣」停留在那裏。同時他所感受到，以及在形體上所看到的，那也只是神經血管充血的作用，與心理意識引導精神集中的關係，而不是「氣」的留滯。因為心理意識專注在身體某一部分時，神經、肌肉、血液，都會隨著意識的集中力量而發生作用。並非真有一股「氣」，可以隨著意識的思念，而讓它凝結成一塊，再讓它乖乖地待在那一處。那麼，道家所謂「煉精化氣，煉氣化神，煉神還虛。」的說法，完全是子虛烏有的事嗎？不然！不然！那也是實有的事，只不過是否真能確切瞭解，真能體會到「氣」是什麼？那是最要緊的問題。

什麼是氣

「氣」是什麼？這的確是個問題。中國的道家，關於「氣」字，大約有三種寫法，它也代表了三種意義。

㈠「炁」字：這是古文的氣字，上面的「无」，就是無的古字。下面的「灬」字，就是火的變體。古代道家的丹經道書，提到了「氣」，便常用這個「炁」字。也可以說，無火之謂「炁」。

但是怎樣才是無火呢？須知道家的思想學術，與中國古代的術數，總是脫不了關係的。尤其與五行、天干、地支等名相術語，更是息息相關。在五行之中，心屬「火」，所以無火之謂「炁」。做到息心清靜、無思無慮之境，才是真「炁」緼絪的境界。

(二)「气」字：也是古文的氣字，籀文、篆書，大多都用這個「气」字。強調些說，這個「气」字，也就是代表自然界的大氣。

(三)「氣」字：這是後代通用的氣字，但從古代道家與中國古代醫學的觀念來說，這是人們喫食米穀之後，而有生命呼吸作用的「氣」。

唐、宋以前，道家修煉的方術，有專門用「服氣」的方法。那是專心一志，利用呼吸的屈伸起伏，以求達到「與天地精神相往來」的道術。它與印度古代瑜伽術中修氣的方法，有異曲同工之妙，由此又分化為後世各種修煉氣功的法門。這些煉氣方法的最後目的，都是憑藉呼吸的作用，由此而引發生理潛能的「真氣」，那才是「氣功」與「身瑜伽術」的極果。如果永遠只是停留在呼吸氣機的功用上，那就永遠得不到「氣功」與「身瑜伽」的最高成就了。

那麼，「真氣」它究竟又是什麼東西呢？所謂「真氣」，也只是無以名之的代名辭。在「瑜伽」術中，又有別名稱它為「靈能」，或者形容它是「靈蛇」。至於西藏的密宗，則另稱它為「靈力」，或名為「靈熱」。總而言之，它就是佛家唯識宗所講「暖」、「壽」、「識」綜合起來的「業識」的功能。為了講解的方便，我們借用現代語來說，它就是生命的「本能」，或可簡稱它是「能」。但是這裏所謂的「本能」或「能」，並非就是物理學上「能量」的能，也不是生理學上「本能」的能。或者有些人認為它就是物理學上的電能，或認為它就是電，那都是觀念上的偏差，不可妄用。因為它的究竟，畢竟不是「物」的作用。不過，這樣一說，又很容易牽涉到哲學和科學範圍的論辯裏去，所以暫置不論。

靜坐與氣的存想

依照以上所講，「靜坐」與「氣」，好像根本是沒關係似的。這又不然，在中國文化中，「靜坐」只是一種統稱的名辭。例如佛家的「禪定」、「止觀」、「思維修」，以及「瑜伽術」、「催眠術」，乃至道家的「胎息」、「凝神」等等，凡是攝動歸靜的姿態和作用，統統叫它為「靜坐」。上文我們已經提到，不管用什麼方法來修習「靜坐」，它總是靠我們這個身、心的作用。所謂方法上不同的差別，也只是心理造作意識的感受不同而已。至於這個身體發生的作用，都是一樣的。譬如一株松樹，可以用人工把它培養成各式各樣的形態，但是它本身的生命組織，由種籽開始萌芽，漸次抽條挺榦，漸次分枝布葉，並無不同。

因此，只要肯下工夫練習「靜坐」，到了相當時間的火候，生理的「氣機」，自然而然就會發生變化。不過，這種變化的現象，都因人而異，各有不同的現象與程序，例如年齡老少的不同、男女性別的不同、身體強弱的不同、有病無病的不同。再由此許多異同的差別，引起各人感受的不同，因此而產生許多心理不同的想像，最後，仍然還離不開「存想」的作用。如果稍已涉獵過道書和丹經，對於奇經八脈、大週天、小週天、坎離、鉛汞、龍虎、陰陽等許多術語，存有想像中的幻覺，那麼當「氣機」發動的時候，它便自然而然與這些觀念，配合成為一種新奇的感受，而造成種種的境界了。

無論從那一種靜坐的方法入手，都離不開身（生理）、心（心理）的相互關係。而且在靜坐的過程中，無論重視氣機或不管氣機的作用，氣脈的變化，必然循著固定的法則而引起感受。這個原理的大要，已經在過去連續的敘述中有過說明。現在只從氣機在靜坐中所引發氣脈變化的情況，再作較為詳細的解說。當然，現在所講的靜坐，同時包括佛、道兩家，以及其他各種方法的內容和作用，並非只是單指某一種靜坐的方法而言。

人體內部的氣機與空氣的關係

一般學習靜坐和修道的人，大致都很容易把呼吸的氣和空氣的氣連成一氣。因此，便認為空氣就是人體內部氣機的中心。其實，呼吸與空氣的關係，只是人體呼吸器官（肺部）的調劑作用。如果從修煉靜坐的觀點來說，那只屬於達到橫膈膜以上的效用。至於人體內部的氣機，並非只與呼吸的作用連成一氣。換言之，人與動物一樣，由呼吸器官吸收空氣，就如人們需要生火的時候，必須先要憑藉引火的燃料，用來引發本有的燃能。人體內在的氣機，猶如一個原始的寶藏，它與生命俱來，永遠潛在著無盡的功能，但不經過合理的修煉，這種潛藏的生命之能將隨老死物化而去，永遠無法發生作用。

佛家小乘禪觀的修法，便把呼吸之氣與人體內部滑能的氣機，分成三個步驟和三種狀況，這是比較正確的觀念。

㈠是「風」。這便是指空氣與呼吸器官之間的通常作用。換言之，一般人憑藉呼吸空氣的作用而維持生命的生存，這都是「風」的狀況。

㈡是「氣」。就是通常人的呼吸作用，經過靜坐方法的鍛煉以後，呼吸較為輕清而從容緩慢。

㈢是「息」。經過靜坐的高度修煉以後，呼吸之氣，到達輕微而幾乎止息的狀態，那時呼吸器官的闔闢作用，等於停廢。（但有關身體其他部分的呼吸，並未完全停止。）小腹部分以及下丹田之間，不靠呼吸器官的往返作用，自然而然發生一種翕闢的現象，這便是「息」。後來道家的丹道家們，又稱它為「胎息」。甚至，有些丹道的修法，還專門主張「心息相依」便是無上丹法的根據。其實，這種說法，都是隋、唐以後，佛家小乘禪觀的修法，被天臺宗修習「止觀」的法門所採用，漸漸普及變化，互相融會而來。因為在隋、唐以前道家的修法，雖然也很注重煉氣術，但實在沒有「心息相依」與「胎息」的理論。雖然有些假托魏、晉時代的丹經偶亦類似提到，但畢竟都是後世的杜撰，不足徵信。我們現在所討論的，並非偏向佛家而薄斥道家，這只是從人類文化歷史時代的發展過程，順便敘說一些老實話，與門戶之見無關，更與考證之學無關。如要考證佛、道兩家的修煉方法問題，實在有「刻舟求劍」，逝者難追之感了！

靜坐的休息與氣機

老子說過：「夫物芸芸，各復歸其根。歸根曰靜。是謂復命。」「天地之間，其猶橐籥乎！」「專氣致柔，能嬰兒乎！」老子這些有關修養方法的理論，完全秉承中國上古文化的傳統，從觀察物理自然的現象而立論。因為在物理界中，一切生命的生發之機，的確都是從靜態中茁壯的。尤其植物界中的生機，這種現象，更為明顯。人，雖然和植物不同，但從嬰兒、孩童，到達少壯的階段，比較起來，愈在年少時期，靜態的狀況愈多，對於生命成長的功效也愈有力，這也就是說明靜態對於人體生命關係的重大。所以一個普通人，在平日生活活動疲勞之後，必定需要休息，而最好的休息，便是靠睡眠來恢復生機。雖然睡眠與靜坐的作用不同，但睡眠確是通常人順其生命自然的一種靜態。

說到靜坐，真是一件非常可笑的事。同時，也正好暴露人類智能的大弱點。一個人的生命需要休息，這是人盡皆知的事實，也是無可否認的真理。但是一個人開始練習從坐著的姿態取得休息，便會引起很多大驚小怪的說法，所謂那是修道啦！打坐啦！灰心厭世啦！走火入魔啦！等等似是而非的觀念。其實，睡眠休息的狀態是臥倒的姿態；靜坐休息的練習，只是坐著的姿態，和睡倒不同而已。其所以加上這些許許多多的名辭和觀念，統統都是人們傳聞失實，或者以訛傳訛的零碎知識，無形之中湊合心理的好奇或心理的恐懼作祟而已，它與靜坐的本身又有什麼關係呢？

開始靜坐時氣機的反應

現在必須詳細說明靜坐與氣機的關係和作用，但是，首先必須先要瞭解一個觀念，這是指一般已經成年以後，以及已經有過男女性生活以後，乃至包括老年人的情況而言。至於未經成年的童身，那又須另作別論了。

第一反應——腿部的麻脹。在開始練習靜坐時，如果沒有以上所說的那些先入為主觀念的存在，或者能夠泯除這些似是而非的觀念，他所感覺最大的困擾，便是心理的不能平靜和生理反應的各種奇異的感受。關於心理的平靜與散亂問題，留待將來討論靜坐與心理關係時，再加說明。現在所要討論的，只是偏重在生理內部氣機的反應。關於這個問題，根據通常開始練習靜坐的統計資料，十之八、九，便是靜坐時，經過一段短暫的時間以後，首先引起感受上的壓力的，便是兩腿發麻或發脹。於是促使渾身酸疼或不安，甚至，連帶引起心理的不寧靜。如果從一般生理衞生常識來講，大多都認為那是兩腿的血管被壓迫的關係，等於一個通常不練習靜坐的人，把兩腿交叉叠起，如不隨時變更交換，只是保持一個姿勢，經過一段的時間，便有腿麻的感覺，於是就認為它是很不好的現象。

倘使從靜坐的經驗來講，這種現象，並非完全是血管被壓制的關係，實在是氣機開始發生了反應的作用。因為氣機在筋脈血管肌肉之間，不能暢通流行，所以有了脹痛麻木的反應感覺。換言之，這便證明了在生理上的陰蹻、陽蹻的氣脈上，已經有了後天的障礙。翻過來講，當腿麻到不能過分忍受時，只須輕鬆的放開兩腿，慢慢地讓它自然舒暢之後，便會感覺到由於經過這一段短暫時間的壓迫，而換得新奇的舒服和快感。事實上，當靜坐工夫到達某種適當的階段時，無論盤腿或不盤腿，這種新奇而舒服的快感，是長期永恆地存在。此時，雖然長期盤腿而坐，不但沒有妨礙，這種舒服和快感，反而愈來愈盛。

第二反應——生殖機能的勃興和其他。有關靜坐對於生殖機能的反應，為了講解的方便，必須把它分為㈠腎臟機能㈡生殖機能兩部分來講。因為在成年人練習靜坐時，最初有反應的，大多數是從腎臟部分（包括腰部）開始。日久工深，生殖器部分才發生反應。如果是少年人習坐，很多都是由生殖器部分先發生反應。

㈠腎臟部分的反應：即是說靜坐的時候，或在靜坐過後，腰背會發生脹、痛、酸、麻等情況。倘使因腎虧而患有陽萎、早洩、遺精病的人，可能因靜坐的關係，反而更有遺精或早洩的現象。如果不得其法或不知對治，甚之有至於白日遺精、大小便隨時遺精，與靜坐時遺精的嚴重症候。關於這些現象的來源，中醫認為是腎虧的關係；西醫認為是與腎臟或腎上腺、性腺和腦下垂腺，以及神經衰弱等因素有關。若是女性練習靜坐，素來患有腎虧等症，不但腰部疼痛不堪，甚至會有白帶等現象發生。其實，這不是因為靜坐的關係而產生這種不良的後果與副作用。實在是因為靜坐的關係，發動身體內部氣機的潛能，在將要通過而尚未通過腎臟與腰部的階段，由於這些部位的神經與腺路有了宿疾的障礙，所以引起這些症狀的併發。如果知道了這個原理，再得明師指導而知道對治的方法，只要過此一關，則一切有關這一部分的宿疾頓消，恢復健康壯盛，自然不成問題。倘使沒有明師的指導，不知對治的方法，最好是暫時停止靜坐，等恢復健康時，再來靜坐。如果又因靜坐而重發時，就不妨再停。如此持之有恆，再病再停，再停再坐，久而久之，自然就會完全恢復健康。因為對治的方法太多，而且要因人而施，因病而治，或者運用身體運動的各種不同姿態，再配合醫藥的調整，相當繁複，故只能說到如此而已。但在此階段，最要緊的守則，必須要絕對斷絕男女的性行為，倘使能做到不但沒有性的行為，而且無性的慾念，那便是真正無上的大藥，決定可以及早恢復健康。至於健康恢復中的變化反應，則因男女性別、年齡老少、體能強弱而有不同，恕難一一詳說，實非因為守密而不言也。

㈡生殖機能的反應：卽在靜坐時，或剛剛下坐後，生殖器突然勃起，甚至久堅不下，猶如亢陽的狀態，同時引起睪丸部分微細神經的跳動，以及攝護腺、會陰部分輕微的震動。在女性而言，有子宮震動或收縮，以及兩乳房膨脹的現象。如依道家某些修煉丹道派的觀念，便認為它是一陽來復之機，正好採藥歸爐，用意引動呼吸作為搬運「河車」等的基礎。這種觀念是否正確，以後自有專論，在此暫略。但在靜坐的過程中，有了這種現象之後，如果不配合心理上的性慾衝動，那確是很好的情況。這是腦下垂腺、腎上腺與性腺等活動興旺的證明，對於身體的健康，是絕對有益的現象。但是無論年齡老少、男女性別，一有這種現象發生，十個有九個半，都會引發性慾的衝動。有了性慾的衝動，就會引發頭昏腦脹的感受。甚至，還有胸臆煩悶或發生情緒煩躁的感覺，非常難以排遣。如果因此而有了性行為之後，不但前功盡棄，而且還有過於性行為或手淫的損害。倘使不加上這些心理行為與性行為的破壞，那便有如老子所說嬰兒的狀況，「未知牝牡之合而朘作，精之至也。」它便會引發生命潛能而開始生機成長的作用。然而一般練習靜坐的人，大都到此止步，極難過此一關。而且不知調整對治的方法，即使勉強壓制，久久亦成為病態，與忍精之害，有同樣的毛病。

如果練習靜坐，做到絕對沒有這種現象發生，那麼，又等於生機斷絕，久而久之，便使身心枯寂無情，等於一潭死水。

三十多年前，我有兩個練習靜坐的朋友，有一位是中年人，他對我說：當他晚上和夫人一起對面靜坐時，碰到這種現象發生，睜眼一看夫人，比平時容貌更美，於是便順理成章，「只羨鴛鴦不羨仙」，進入凡夫的境界去了。另有一位是老年人，已經有六十多歲，有一次同在山中練習靜坐，碰到這種現象，變成「亢陽不悔」的情況，想盡辦法，總難收拾，甚至，利用冷水沐浴，也依然蛙怒如故。最後，他只好下山回家，尋找「老妻畫紙為棋局」去了。朱熹說的：「世上無如人欲險，幾人到此誤平生。」其然乎！其不然乎！此二公的靜坐經歷，給予我後來的啓示，與專心一致尋求其中的癥結所在，實有多者。孔子說：「三人行，必有我師焉。擇其善者而從之，其不善者而改之。」這話對於同參的道友而言，仍然具有聖人名言的無上權威。

關於靜坐中生殖機能反應的調整與對治的方法，也很繁複而一言難盡。如果真要專心致力於靜坐修道的人，最簡便而有效的方法，就是減少飲食。甚至，可以短時不食，必定生效。佛教以過午不食為戒律的基本，並非完全屬於信仰的作用。諺云：「飽暖思淫欲，饑寒發盜心。」實在不是無因的。不過減食與不食煙火，也並不是簡單易行的事，如果不明其理而不知運用之妙，因此而害了胃病，則得不償失，不關我之言不在先也。

背部的反應

為了講解的方便，現在先把靜坐過程中的種種反應，做分段的敍說，因此分解為一、二、三……的次序。這種序次的分解，並不是說修習靜坐時的反應現象，一定會循著這個程序而逐步發生；在有些人而言，這種反應會循著一定的規律，逐步的發生。對有些人而言，他會不依次序而突發的。這完全看修習靜坐者的生理健康狀況，以及心理和思想的關係。而且我們雖然把它先做逐段分解的講述，也是只舉其粗枝大葉的概要來說，並未極盡精細地詳說它的變化內容。等以後講到靜坐稍有成就，它在生理的變化中，必然循著一定的規律而產生變化的反應時，再做進一步的討論。現在銜接前期一、二以後繼續說明。

第三反應——背部與肩胛的反應。在靜坐的過程中，感覺背部或肩胛部分有了脹痛，或者有神經緊縮等現象，它的原因雖然很多，歸納起來，可以用兩個原因包括它的要點：一是氣機循督脈——「脊髓」中樞神經上昇的必然現象；一是生理病態的反應。再為分別說明如次：

㈠病態的反應：這是指一般體弱有病或年老的人，他們在修習靜坐時的現象。所謂體弱有病，包括肺病、胃病，肝臟、心臟等等內臟的病症，或者病根隱而未發。如果是有這些病症的人，當他練習靜坐到達某一階段時，就會感覺到背部脹痛猶如重壓，腰軟乏力或有疼痛等感覺。甚至，還有背部神經抽搐痙攣等的現象；或者感覺有肩凝——兩邊肩膀連帶後腦的背部，有強硬難受的感受；或者脹痛得汗流浹背，或冷、或熱。

如果有了上述這些情形，首先必須瞭解，這不是靜坐出了毛病。因為靜坐只是休息的方式之一，一個人和動物，絕不會因休息而產生毛病的。這是證明自己生理上已經有了潛伏性的疾病之反應，是值得慶幸的事。因為不經靜坐的測驗，你還不知道自己身體已經有病。而且自己能夠感覺到有病痛，正是體能發出自我治療的功效，並非是病入膏肓，達到無藥可救的地步。例如一個人受了傷，而不感覺傷處的疼痛，那就是傷勢嚴重的信號。如果傷勢稍好，便會感覺到疼痛。又如患了感冒的人，當感冒病菌尚潛伏在內時，還無感冒的徵兆，如果發出感冒的現象來了，這便是感冒已較減輕了。因此在靜坐的過程中，有了這些現象，便須注重醫藥的治療，以配合靜坐。只要具有堅定的信念，度過了這些難關，便自然而然的漸入佳境了。

(二)氣機的反應：如果是正常健康的身體，經過了以前所講的第一反應、第二反應之後，便自然而然會到達背部和肩胛部分發生脹刺的感覺。甚至，好像有一樣東西或一股力量在活動，只是很難向上衝擧。而且自己的意識，也會產生潛在的企圖，好像覺得必須要衝過去，才會輕鬆愉快。這種現象，在丹道的觀念裏，便叫它為「河車」轉到「夾脊」的一關，是打通督脈的過程現象。實際上，這是陽氣開始到達「還陽穴」的階段，如果不能把心念放鬆，不能做到渾然「忘身」的意境，它就愈來愈有壓力。換言之，每逢這種情形，你的注意力愈會向背部集中，自然而然想用意識假想的力量，幫助它向上推進，因為注意力的愈加集中，反而使腦神經、胃神經愈加緊張，甚至，過分用力，會使心臟收縮，更會增加背部脹痛的感受。有些學習道家某些丹法的人，用意去「導引」它過關，或者「以意馭氣」，觀想「河車」的運轉，配合深長微細的呼吸，以六六三十六次的深呼吸，或以九九之數的呼吸頻數，當做配合大小周天的觀念，或者配合內功運動，或用瑜伽體功等方法，引導它過關，雖然也可收到一時的效果，好像儼然有物通過「夾脊」而上衝「玉枕」，但是畢竟都非究竟，而只是屬於心理的力量，改變了生理感覺的作用，並非真是氣機通過「夾脊」的真實境界。

如果能夠做到渾然「忘身」，或者運用智力而拋捨感覺的作用，只是一味沈靜無為，等待它的充實，它便會像接觸電機的開關一樣，嗒的一下，豁然鬆弛，進入心境豁然開朗、精神特別充沛旺盛的境界。假使平常是勾腰駝背的人（受過外傷或生來如此的，另當別論。）到了那個時候，他就會自然而然地挺直腰幹，開張胸膛，呼吸順暢，胃口開爽。不過，往往因此而精神太過旺盛，不大容易睡眠。但普通一般人，都有定時睡眠的慣性，到此反而把它當做失眠的病態，心理愈加恐慌，那就背道而馳，無從說起了。

第四反應——頭部的反應。講到頭部與靜坐過程的反應，它比其他各部分都較為複雜。從中國傳統的醫學觀念來講，「頭為諸陽之首」，所以它的作用也更大。在丹道家的觀念來說，它包括了後腦的「玉枕」關，與頭頂的「泥洹」宮，都是很重要的部分。從現代醫學的觀念來說，它與小腦神經、大腦神經，以及「間腦」與「腦下垂體」等組織有關，相當複雜。而且它與五官的神經細胞，都有密切直接的關聯。因此修習靜坐的人，常常到此而發生嚴重的問題。一般世俗所謂的「走火入魔」，也都是在這個階段出了問題。現在為了講解的方便，把它就部位作三個步驟的分解，㈠後腦（玉枕）㈡前腦㈢間腦。

後腦的反應：在修習靜坐的過程中，除非耽空守寂，或靜默沈思之輩，只把心理意識的比較寧靜的狀況，當作靜坐的功效，那就無從做進一步的探討。否則，靜坐的工夫愈久，必然會引起生理的反應。等到生理氣機的反應，經過腎臟、腰、背以後，它就自然而然的會上昇到後腦階段。當這無形無質的氣機到達後腦（玉枕）的時候，最為普通的反應，便是感覺神志不太清明，有點昏昏沈沈，進入似睡非睡的狀態。在佛家修習「止觀」或「禪定」的立場來說，便叫這種現象作「昏沈」，是修道的障礙之一。在道家某些丹法的立場來說，也有誤認這是「渾沌」或「坐忘」的境界（其實是相似「渾沌」與「坐忘」的情況，並非真實。），因為道家是依身起修，首先側重在生理上的生命能作入手的法門，所以認為這種現象是「養生」的妙境，這不能說是完全錯誤的觀念。佛家是從心性入手，一下子便想抛開「身見」而直接進入性靈的領域，所以凡是「昏沈」或「散亂」，妨礙了性靈清明自在的現象，統統須要揚棄，因此便認為它是障道的因緣。如果認清了原理和原則，佛道兩家對靜坐過程的異同，都不是「是非」的重點，只是所取的入手方法，各有不同的初步目的而已。其實，無論佛道兩家如何的不同，一個人，總離不開身心的相互關係和身心的相互影響。即使不注重身體，但當你進入靜定的境界，仍然還離不開此身的作用，還須仰仗此身，然後才能打破這個軀殼樊籠的束縛。因此宋、元以後的道家，對於依身起修的理論，便有「借假修真」的說法了。

當氣機進昇到後腦而呈現渾然昏昧的狀態時，如果是體力不足或身心疲憊的人，他就會垂垂欲睡，甚至，連帶體力也不能支持靜坐的姿勢了。這種情形，應該是腦部的「氧氣」不足，等於人在疲勞欲睡時，就自然而然要打呵欠一樣的情形。倘使不是體力不足，因為氣機上昇到後腦的關係，當他在似睡非睡的境界中，最容易引起的現象，首先便是眼前昏昧，一片無明，漸漸的會進入似夢非夢的光景，猶如昏黃隱約的狀態。這便是由後腦神經影響到眼神經的反應關係。許多人在這種狀態中，便會像夢中見物一樣，在昏昏迷迷中，看見許多事情和影像，可喜可愛的，可怖可悲的，種種情形，因人而異。它配合了下意識（佛家唯識學中所說的獨影意識）的作用，便會引起許多心理，和清醒以後思想觀念的種種變化。一般人所謂「入魔」，或者真的有了問題，都是出在這個階段。其中變化情況，非常複雜，它和一個人平常的智慧、思想、個性、心理、生理等，都有相互因果的密切關係。如果沒有真正的明師指導，或者缺乏自信、缺乏健全的理智與正確的思想，實在很容易走入岔路。

倘使瞭解了這些道理，當時便不理會這些現象，因為過了黑暗的夜裏，一定就會破曉。那麼，只要經過這一階段，便會稍覺清醒。或者眼前呈現點點的星火之光，或如螢火，或如鈎鏈，或者有各種不同的光色。它都與自己內部生理的健康有關，所以才會出現在「內視」

的境界裏面。（至於何以會有這些光景現象的出現，其中原理實在不太簡單，以後再說。）可是一般靜坐的人，大都到此便自然而然地會想下坐，或者腿麻身僵而無法支持了。

如果是身體內部並不真實健康，或者頭腦與五官部分已有病根潛在，或者如中醫所講「上焦」有火（發火），或胃部消化不良，以及其他腸胃病與各種輕重病症的關係，也可能因此而呈現眼角膜發紅，或耳鳴、耳塞等似乎是病的現象。如果是牙齒有病的，很可能便有牙痛或牙齒動搖等狀況出現。如果是有感冒潛伏在內，或者其他原因，也可能會有淋巴腺相似發炎，或者頭腦神經疼痛，或前後腦神經疼痛等症狀發生。但千萬要記住，這不是因為靜坐而帶給你不祥的毛病，實在是因為早已有病根在內，經過靜坐而促使它的發現。換言之，這是因為靜坐的關係，促使自己內在的體能發生自我治療的功效，如果持久有恆，再配合醫藥的治療，必然可使自己恢復絕對的健康，因此，自古學道的人，經常都必須對醫理有所心得。

靜坐與後腦的反應

在靜坐的過程中，當氣機達到後腦的時候，也可以說是一大進步的階段，雖然值得欣喜，但也是很麻煩而複雜的階段，極須小心與理智的審擇，需要真能瞭解習靜和修煉的「助伴」方法，例如：需要懂得醫學上的氣脈、針灸、藥物以及其他許多「助伴」的功夫和知識等。所謂值得欣喜的，是說過了這一關，便可打通中樞神經與大腦神經部分的氣脈，而漸入佳境了。所謂麻煩而複雜的，是針對一般體能衰頹，或腦神經已有病態而尚未發覺，或者是先天性卽帶有精神病態和心理不正常的人而言，每每到此一關，便發生許多歧路，甚至，中年以上的人來說，也很可能發生類似高血壓的難受感覺。其實，絕不會有高血壓的可能，只是感覺上難受而已。如果到此自作聰明，再妄用守意於上丹田——腦部，便會導致紅光滿面，而發生高血壓的徵兆了。一般世俗的觀念，往往認為紅光滿面便是修道有成的效果，那真是大有問題的事，切切不可錯認。

其次，當氣機到達後腦時，耳根很可能就會聽到內在奇異的聲音，以及耳塞、耳鳴等的感覺。這種現象，都由於氣機到達後腦時，腦神經部分的氣脈將通未通，因此受到氣機的震盪而發生的腦波作用，如果其人的理智不夠清明，便會引發潛意識深處種種的幻覺，例如：有深厚宗教信仰（不論任何宗教）的人，他便會幻覺為神異的聲音，千奇百怪，難以縷述，但總不外與見聞、知覺、經驗有關的事，彼此互相穿鑿附會而已。甚至，有時候證之於小事，好像也頗靈驗，因之便認為是他力（仙佛或主宰、先知等）的靈感聲音，或誤以為是神通中的耳通。其實，這就是證明心力的本身，它的確具有靈驗的感應功能，而這些反應只不過是一種小小證驗的現象，並非是真正的「耳通」，而且對大事也絕不靈驗，如果妄信為真，必成魔境。若能不隨境轉，或者時常咽津納氣，放鬆頭腦的感覺（這必須要有堅強的意志和毅力），放心引氣下降，便可安然過此一關，而轉入前腦。倘使能懂得道家的內功、密宗的體功，以及瑜伽術的調整方法，再借助醫藥的輔佐，那就更好了。

但到此必須注意，有許多學習靜坐的人，在靜坐的過程中，氣機發生了變化時，心念的注意力，往往會被感覺的境界牽制，尤其到達腦部的時候，對感覺的注意力，更為強烈，因此而促使小腹收緊、橫膈膜上縮，甚至，連帶而有胃口不開、食慾不振、大便不暢，或大便祕結等暫時的現象。如果偶然用些消炎劑或通便藥等，也有幫助，但無論是中藥或西藥，最好要有醫學的知識和經驗，例如：中國醫藥認為肺與大腸相表裏，心臟與小腸、膀胱等又互為表裏。有時為了調治便祕，運用氣功而舒暢肺氣，就能不藥而通。心臟緊張過分，有時會引發膀胱的變化，與小便的異常，例如：驚恐過度，不知不覺便會遺尿，或小便頻繁，俗說嚇得屁滾尿流，便是表明心理足以影響生理最明顯的事實。學習靜坐的人，倘使沒有真正實驗到家的過來人的指導，應該多多參照醫理，大致也可以幫助你不會出太大的毛病。

前腦的反應

在靜坐的過程中，當氣機到達前腦時，當然已在通過後腦之後的階段。此時反應的現象，不如在後腦時複雜。它的反應，最有可能而極普通的現象，便是前額左右兩邊太陽穴的氣脹，兩眼皮有重垂而昏昏欲睡的感覺。如果體力氣機較為充沛的人，便感覺眉心和鼻根（山根）之處，有鼓脹或輕微刺激的感受。但雜念紛飛的情形，到此便自然減少而微弱，雖然神思與心境，並不清明，而帶有輕度昏沈的感覺，但較過去發生在生理上和心理上的壓力，已經迥然有別。唯一不好的象徵，便是容易引起眼睛的充血，而使眼膜有紅絲如發炎的現象。並且到此往往眼現光景，或如一團太陽之光，或如月亮之光，或如點點螢火之光，有時閃爍不定，有時固定不變，不論閉眼或開眼，都如在目前。甚至，在這些光影中，可以看見人物並預知未來的事，因此，有人便認為這就是眼通的神通境界。有許多人因先入為主的觀念，深入佛學道術的所知障，如執著圓陀陀、光爍爍等形容術語，就當為真實，而認為這種光明，就是自己性光的顯現。禪宗呵斥為光影門頭，道家認為是幻境，就是對此等初期的現象而言。其實，這是因為氣機在腦神經裏閃爍不定，所以由心念之力與腦波的震動互相排盪磨擦，而發出的暫時變化現象，並非真實。至於光色的不定，那是由於腑臟之間潛在有未發病症的象徵，例如：腎臟（包括生殖神經等部分）衰弱有病，往往便反映出黑點和黑光；肝臟衰病，光的反映則是青色；心臟衰病，反映則呈紅色；肺部衰病，反映是白色；脾胃衰病，反映是黃色；膽衰病，反映是綠色。如果配合神祕的測驗，凡是黑色光景者，主災晦；青色主憂悲；紅色主橫逆；綠色主魔障；黃、白最為平安而吉祥。不過，這也並非一成不變的定法，須知「一切唯心」，與「心能轉物」的道理，「但得正身心，魔境可轉聖」。只要在自己一念的邪正之間，深自反省檢點心裏的思想和行為，力加懺悔，才是正理。如果眼球充血不散，必須配合醫藥，自然有利而無害。

其次，停留在前腦的氣機，有時因不知適當的調整和導引，便順勢而衝向鼻端，引發鼻竇神經潛在的病症，就會經常流青鼻水，變成鼻竇炎的現象。有一派的道家，認為這種現象，便是精氣走漏的毛病，必須要緊搐鼻子，使其元氣不漏，才不會喪失至寶。其實，這種現象，是不是精氣走漏，姑且不加辯論，到此緊搐鼻子，倒不失為對治的良法。不過，如何緊搐，那是一大問題。最好而最有力的治法，必須經過醫學的證驗，確認這種鼻水，並不帶有濃汁或其他病菌，則只要淨出鼻水，然後倒吸再流的液體回去，如此多嚥幾天，就可不藥而愈，另入佳境了。否則，也有人因此而多年流青鼻水而難以痊癒，因此而引發其他的病症。過去，我親眼看見許多出家的和尚或道士，以及修道學佛的人，作功夫到此，都犯有此病而不知其所以然的，於是便舉唐末高僧懶殘與寒山子的「寒涕垂膺」來自作解嘲，真是「其鼻可同也，其愚不可及也。」筆者過去也曾經在此過程而受三年之患，終因「天啓其牖」，才自知其調理而轉入勝境。思之，不禁為後之來者一嘆！如過此一關，便有內聞檀香氣味，和各種香氣的反應，那都是發自內臟正常的體香，並非完全是外來神祕的氣息。

間腦的反應

如果氣機的衝力，過了前腦順向鼻根（山根）下流的一關，能夠隨順心力的導引而倒吸下降，它便如ɤ形的迴旋轉到大腦與小腦的中間（間腦），而上衝到頭頂部分。（道家稱此為泥洹宮，密宗與瑜伽術稱為頂輪與上空的梵穴輪。）然後神思大定，身形端直，一般注重道家修煉丹法或內功者，便認為是督脈完全打通的現象。其實，並不盡然，切勿錯認。這只是氣機循督脈的變化，初步打開中樞神經，進而刺激間腦的作用，促使內分泌（荷爾蒙）均衡分布的最好象徵而已。但往往有些人，到此而發生頭頂刺痛等暫時的現象，或者會有頭頂脹滿，猶如有物壓頂，或鐵箍箍頂的緊箍現象。這都因為腦神經的氣脈沒有完全打通，或者因為被感覺過度牽引所造成。如果能夠放鬆注意力，猶如捨去頭腦而聽任其自然，漸漸就會感覺頭頂中心發生一股清涼如水、異常舒適而下沁心脾的感覺。這種現象，在佛家修習禪定和修習止觀法門來講，卽是輕安的前奏現象。因此，可使煩惱妄想減弱，而進入初步的定境。如果因此而有甘甜清涼的津液（由腦下垂體所發射的內分泌）下降，在道家的修煉方法而言，便認為是「醍醐灌頂」、「甘露洒須彌」，或者形容它為「玉液瓊漿」等等，而認為這是返老還童的長生藥酒，雖然言之過於神祕，但對於人體的確是有祛病延年的功效。甚至，可使胃口大開，多食與飽食，可以隨時消化淨盡，並且完全吸收食物的營養；同時也可以不食而不感覺過分飢餓，或服氣而耐餓。到此階段，容光煥發，精神飽滿，則只是附帶的必然現象而已。

此外，在氣機真正通過頭腦部分（包括前後腦）的階段，在頭腦的內部，必定會有輕微的劈劈拍拍之聲，這是氣機將通未通之間，腦神經所引起的內在反應，這種聲音也等於一個人用雙手掩住兩耳，可以聽到自己心臟與血液流通的聲響一樣，不足為奇。這是腦波震動的聲音，現在西方（美國等地）神祕學的研究，叫做阿爾發腦波（α-wave）便是這種聲音的作用。不過有時候，因為執著注意力或上焦有潛在病症時，往往會使頭腦發生輕微的振動，好像得了頭風病一樣的現象，如果不懂得對治的方法，不能放鬆感受的注意力，便很討厭地成為慣性的病態。倘使知道清心寧靜、凝神專一的心地法門，便自然而然會進入如上所說「輕安」的定境了。如果生來秉賦特別聰明的人，雖然沒有學習靜坐，可能在少年或青年的時期，也自然會有如此現象。但是從醫學的立場來講，這也可以叫它是神經過敏的一種現象，如無其他因素加以刺激，它並非病症，這點必須要在此附帶說明的。

静坐的過程中，生理上所起氣機的感受，如果已經達到如前所說：確已有過腰部（尾閭）、肩背（夾脊）、後腦（玉枕）、頭頂（泥洹）、眉間（印堂）等逐步的反應，從一般觀念來說，便認為是已經打通督脈（脊髓神經——中樞神經系統）的現象。其實，這只是初步的生理反應而已，並非是真正的打通督脈。督脈真正打通，有種種徵候，也有種種誠乎中而形乎外的特殊象徵，並且隨時與任脈（自律神經）有互相呼應的作用。若是只有一般生理上的反應感受，還是微不足道的事。

當氣機經過這些逐步反應以後，它還盤旋在腦部的時候，最大的關鍵，就是頭腦部分，經常有脹痛難受的感覺，或有沈重昏睡的情況。甚至，影響眼神經、耳膜、牙齦、鼻腔等處，發生類似病痛的現象。或者有頭重足輕，脾氣急躁，容易光火，以及精神亢奮，大便祕結，不易入睡的反應；即使睡眠時也是夜夢不寧。這樣說來，靜坐和通過督脈的情形，比起一般不學靜坐的人，反有更多不良後果，那又何必學習靜坐呢？這可不必為此駭怕，以上所說的，只是儱侗的經驗談，是憑親自經歷過的求證經驗，和許多習靜者所發生「個案」實例的總論，只是說當此過程中，會有這些現象發生的可能。有關這些現象的發生，還須視個人的年齡、性別、生理和心理的健康狀況而有差別，並非個個必然如此。而且因靜坐的反應所發生類似病痛的感覺，並非真如生病的痛苦，也只是說有「類似性」和「可能」如此而已。

總之，靜坐到了氣機上行達到腦部的時候，至少已經有了一段效果，極需要「沈心守靜」，等待氣機下降到喉管（道家叫作十二重樓）、胸部（膻中）、胃脘（中宮）、小腹（丹田），經過腎臟部分而到達生殖器官的頂巔。這一路下來，便是道家和「內經」醫理學所謂的「任脈」線路。

人了。

有關大便頻數類似瀉痢的認識：一個普通的人，如果有了大便頻頻，甚至有瀉痢痾水等情形，當然是有嚴重的腸胃病，或者是急性腸炎等病症的現象。但無論屬於那種病徵，毫無疑義的，它給予人的感受是痛苦的。倘使是因「靜坐」發動氣機的原因，雖然有大瀉或痾水等現象，但並無痛苦的感受，而且頭腦、內臟反有一種清新舒服的感覺。雖有輕微的輭弱之感，但無大礙，等瀉到最後，痾出一些稍帶紫黑色的黏液，便是腸胃的積滯，真正清除淨盡，自然而然就會停止瀉洩了。如果是專門從事養生修道的人，經過這一階段以後，心境的靜定境界，和生理上的感受，一定會進入另一新的狀況。但對飲食起居，必須適時適量，特別知道謹慎，不可貪圖口福而過飽或亂吃東西，總以恬淡為宜。尤其對於男女之間的性行為，應該特別守戒。如有家室之人，難於免俗的，至少要作到「寡欲」為上策。倘使違反了上述男女飲食的告誡，又須經過「靜坐」工夫──時間的累積，而再度發生瀉洩等現象。一般「靜坐」修道的人，「屢成屢敗」的經過，這也是其中重要關鍵之一。至於縱慾無當者流，更不在話下了。

中宮胃氣的發動和食道管：人盡皆知我們的生理，自喉頭部分開始，便分為食道（後）、氣管（前）兩支。如果氣管系統有了疾病，或者碰到傷風感冒等情形，便有咳嗽嗆氣等現象發生。而咳嗽的情形，又有乾咳和痰咳等差別。乾咳，大多由於支氣管炎所發生。可是有些痰咳，便和食道管連帶胃部的病症有關。但在「靜坐」修道者來說，當「中宮」氣機發動，有了打長呃、噯長氣的現象之後，便會感覺胸膈之間儼如有物堵塞，欲吐之為快而又不能暢所欲吐。等到上行氣充滿，忽然咳嗽帶有混濁灰暗色的濃痰，便是食道管初步打通的徵候。道家者流，對這個部分的名稱，叫作「十二重樓」。密宗者流，對於這個部分的名稱，便叫作「受用輪」（喉輪）的脈結。事實上，都是指由喉頭開始，連帶食道管而直下胃口一帶的系統。密宗的修法者，認為打通了「喉輪」氣脈，便可沒有妄念煩惱。其實，這也是儱侗的說法。真正打通了「喉輪」部分的氣脈以後，可以作到減少無明的煩惱；換言之，就不像普通一般人們因胸懷煩惱而產生情緒煩躁的情形，並非完全可以到達不起妄念，但至少有可使無明妄念減輕的作用。因為完全做到妄念不生，那還得靠心理上的定靜工夫，不是全憑生理的作用即可一蹴而就。

那麼食道管對於心理和生理的健康，會有如此的重要嗎？誠然是非常重要的事。因為一般人的食道管，是經常輸送飲食的主要孔道，雖然飲食經過這條孔道就送到胃裏去接受消化，但是有些飲食的渣滓，仍然還會停滯在食道管的壁道上，日久年深而不加清理，便如輸送油管或輸送水管一樣會起銹硬的障礙作用，所以食道管癌等病症，也因此而引發。例如用玻璃杯冲泡一杯牛乳，無論如何，玻璃杯壁上，一定會留下一些牛乳微細的成分。至於其他的食物渣滓，就更容易留下痕跡，雖然生理的本能，有自動清除的功用，但一時也難完全消失淨盡。修煉健身瑜伽術的人們，經常要吞用一條長紗帶來洗刷胃部和食道管，也便是為此之故。如果能夠由「中宮」胃氣的上行而打通了食道管，則對健身瑜伽術的修煉方法，反覺甚為粗鄙。

有關道家上下「雀橋」之說和舌抵上顎：待胃氣上行，打通食道管以後，則胸間「膻中」部位，自然有豁然開朗之感。甚至，守靜之極的人，還可感受——聽到心臟部分，似乎有劈拍開裂的聲音，猶如佛家所形容的有「意解心開」的感覺。此時儼如有物下沈，氣入小腹，舌尖上翹的自然反應發生。無論佛、道、密宗、瑜伽術等任何一家的打坐方法，都以舌抵上顎為基本坐式的內容之一。從一般的觀念來說，舌抵上顎，是為銜接上顎門牙兩齒縫之間的唾液，吸收「腦下垂體」所放射新生的津液（內分泌之一），以便「嚥津納氣」，用作「

返老還童」的修煉工夫。所以一般初學打坐的人，只要依照舌抵上顎的姿勢去作，便自然而然有津液滿口，需要嚥嚥吞嚥的現象。甚之，津液有時還呈甜淡和清香的滋味，嘗所未有。但到了胃氣上行，通過食道管的時候，喉結骨自然內收下壓，舌尖便自然上翹，進而可以直立接觸到小舌頭部分，內捲而封住喉頭，使呼吸之氣，自然由輕微無聲而達到接近停止的狀態。這種情形，便是道家丹經所說的駕起「上雀橋」而登天梯的現象。在瑜伽術的靜坐法而言，這是真正自動作「瓶氣」的工夫，停止呼吸的作用。於是，後腦神經震動所生的「天籟」鳴聲和震動的異聲，所謂「腦後鷲鳴」、「眼現金光」的現象，便自然而然愈加清晰，心境寧靜無妄的境界，也愈來愈加清明。

雖然如此，但自「中宮」胃部所起的下行氣，是否真已進入下丹田（小腹內在的中心點），還是值得特別注意的問題。如果在童身（指性知識和情竇未開的名詞）修道者，這個問題又當別論。倘使從一般已經有過性行為或變相性行為經驗（如手淫、夢遺等）的人來講，真正氣歸丹田氣海，並不如此簡單。因為當下行氣將通丹田氣海的時候，小腹和恥骨以上的神經，都自然而然會有刺痛的感受。等到這種刺痛感覺完全過去，氣機直達「海底」（會陰）——攝護腺部分而貫到生殖器（女性僅到子宮部位）時，只須稍加注意，便會自然收縮回轉。攝護腺乃至會陰部分，都會自然生起緊縮的情形，丹田（小腹）充滿，發生內呼吸（指小腹內在的輕微呼吸的現象），這便是道家丹經所說的「下雀橋」的作用。再進而到達口鼻呼吸與內呼吸完全靜止，生殖器的收縮和睪丸的收緊，就如嬰兒未孩的狀態，這便是一般道家丹經所說的「馬陰藏相」的初步現象。到此，飽食多吃和服氣不食，都無所謂，便可真正實證到「靜定」的初步工夫。但是差距真正打通「任」「督」二脈，和修道入定，超越人天的境界，仍然還有一段並不短暫的距離。

上文講到在靜坐過程中氣機發動之後，任督二脈有了反應的種種情形，並非就算是任督脈的真實打通。可是一般人便把這些反應作用，認為是任督脈打通的現象，真有「迷頭認影」，自落癡狂的見病之嫌。不過只對健康長壽來說，如果運用恰當，卻也不無小補。倘使真要誠心學道，那便要審慎明辨，不可認妄為真了。

前面講到有關（中宮）胃氣發動上衝食道管時，便有噯氣打呃的情形，曾經引起一些作靜坐工夫的好奇朋友，紛紛來函詢問每個人自己打呃噯氣的現象，是否便是這種景象？實難以驟答。總之，無論因靜坐作工夫所引起的噯氣打呃，或因胃部有病症所發生的打呃噯氣，統統都是腸胃有廢氣（Gas）的關係，那是毫無疑問的事。調整中和腸胃廢氣的方法，無論中醫與西醫都有藥物，不妨求醫診斷，加以藥物的幫助，對於修習靜坐，絕對有益而無害。尤其修煉道家的人，非常注重外金丹（藥物）的作用，以輔助修道的進度，此所以學道者不能不通醫理之原因也。

不食人間煙火與中氣的作用

倘使真從本身「中宮」的胃氣發動，上通食道管「十二重樓」，舌頭自然而然上扣上雀橋（小舌與兩鼻內孔通氣之處）直接腦下垂體散布的內分泌（頭頂下降的津液），隨時嚥食清涼甘芳的液體，就可漸漸至於不需雙鼻呼吸通氣，自然而然做到了停止粗呼吸的往來。這是瑜伽術中強制修煉壺式「瓶氣」，和道家強自閉氣所希求的難得境界。到了這種程度，對於飽暖飢寒和外界的寒溫暑濕，便能產生較強的抗力。甚至，可以做到不思飲食，自然減少睡眠的功力。但必須親近真正過來人的明師指導，適當地減除飲食，乃至暫時不食，方可漸漸深入初步的一種定靜境界，而非平常的感受所能領略得到的滋味。

可是到了一個階段以後，仍然需要好的飲食滋養，才能更加充實內力而打通性腺部分（進入陽蹻、陰蹻）（暢通四肢陽維、陰維），而達美不可言的景況了。至於那樣程度才可暫停飲食？那樣情況需要重新補充飲食？那就要看修習人的實際進度而定，不能紙上談兵似的妄加預言了。這種情形，過去在道家丹訣上，稱之謂「火候」，等於煮飯燒菜的火功一樣，需要當時的心領神會，不是完全呆板接受而不變的。

大腹便便不足道

但是當任脈通暢的象徵稍有「火候」，也就是內呼吸（小腹丹田部分的呼吸）有了作用時，大多數都會隨著這種作用，自然氣沈丹田，變成「揠苗助長」的現象。因此造成小腹充實，外形突出猶如一個圓鼓狀，而儼然以此沾沾自喜，自認已經達到「丹田有寶休尋道，對境無心莫問禪。」的境地。其實，這是非常糟糕的現象，如果一味妄加注守丹田，就會引起腎臟、性腺、大小腸部分種種的反效果，更不容易打通帶脈（圍腰圈身一帶）的氣機。此時必須注意稍微用意收縮小腹（恥骨以上到肚臍部分），迫使氣機自然打通帶脈範圍。但又不可過分用意，造成感覺上太過著相的流弊。如此久而久之，氣機由會陰（海底）部分發動，循左右兩大腿的大脈管而逐步逐節下行，一直到達兩脚足心為止，漸漸消除盤腿而坐的酸、痛、脹、麻、癢等感受，由此再進而達到兩腿和足趾，以及胯、膝、足踝骨，和每一節神經、每一細胞，都發生暖、輭、輕、樂的快感。甚至，不但不想下座，反而喜愛盤腿久坐，貪圖其樂而入於輕安舒適的妙境。由此境界再加沈靜止定久了，氣機再循督脈的腺路，上衝腰、背，暢通左右兩肩胛的神經叢而達於兩手指尖和手心。全身輭化，融融陶陶，而有「柔若無骨」的感受。然後氣機的感受，再循小腦（玉枕、泥洹）上行而到達前腦部分，隨著細如無有的極微呼吸，沈沈下降，充滿全身而暢通四肢，平常所有身體存在的感受，此時幾乎毫無感受，恰如老子所說的：「專氣致柔，能嬰兒乎！」到此地步，才可勉強說是任督二脈初步暫通的象徵。從修習靜坐而希求健康長壽的目標，或進而追求修道的效果來說，打通兩腿神經下行氣的重要，比起打通任督二脈的重要，只有過之而無不及。倘使工夫沒有到達腿部發生妙樂、暖、輭、輕靈的境象，便自認為已通任督二脈，那便是自欺之談，誤人不淺。

人身和人參的兩足之重要

天地間的萬物，大體歸納來說，不外動、植、礦物三大類。礦物屬於「地大」的固體性，姑且不論。凡是植物生命的泉源，都從它深入大地的根柢而來，尤其如人參等的根足，其形狀更與人形相似，可以引用做為此類的發明。人是動物中至精最靈的生命，人與植物以及旁生橫走的動物都不相同，人的根源在於頭頂，頭頂以上的虛空，就好比是植物的大地，而人的兩腿雙足，等於是植物枝葉的巔末。修習靜坐作工夫，如果氣機沒有到達兩腿雙足而暢通四肢的神經末梢，等於一株枝葉枯落的枯木，雖然榦身尚未朽腐，那也只是「不亡以待盡」而已，畢竟未能恢復生機。如果兩腿雙足的氣脈輪轉通暢以後，腰桿自然挺直，臂部肌肉收放有力，走起路來，脚踏實地猶如凌虛步空，甚至足底踏觸的大地，猶如輭褥重茵，像似海綿一樣的感受。假如又兼習武術練功夫的人，到此自覺身輕如葉，整個四體只有一具微細輕靈骨架存在的感覺，只須用一隻脚的大拇趾，卽可立地如釘，自然挺立不倦。相反的，如是因有病而體力衰弱的人，「近死之心，莫使復陽也。」同樣的也會產生如上述這些感受，不可錯認重心，自以為是，那就笑話大了。

前面講過打通「任脈」的一些粗淺反應和景象，並非就是通「任脈」的全部微細說明。實際上，「任脈」的難以打通，比打通「督脈」尤甚。一般修習靜坐的效果，大體上都從「督脈」反應比較顯著的現象而說，對於「任脈」真正打通的作用，都是「語馬不詳」，甚至，大多有茫然之感。其實，道家與中國醫理學上所謂的「任脈」，包括現代醫學自律（自主）神經的系統，以及內分泌（ Endocrine ）

系統與腑臟的所有機能。如果從打通「督脈」——脊髓神經、腦中樞神經部分的效驗，進而暢通「任脈」，那麼，體內所有的五臟六腑，自然而然就有良好的變化反應，促使生理的新陳代謝轉向健康旺盛。

道家相傳的術語所謂「一脈通時百脈通」，應該是指打通「任脈」而言才對。有關「任脈」通暢的種種情景，一時難以盡述。現在暫就其他有關氣脈的要點，先行述說，或者可以連帶反覆說明其內容。

氣脈的異同之爭

靜坐與生理的反應，依照中國道家修煉神仙丹道的方術，以及中國醫理學鼻祖的著作——「內經」的原理，有關「任」「督」二脈與「奇經八脈」的神奇古怪、迷離惝恍的傳說，大體上，已如上文陸續剝去神祕的外衣，逐步的講解。當然囉！打通氣脈的過程與所生反應的各種現象，因有男女老幼和身體強弱壯病的不同而各有差別。即使一般的感受完全相同，而智能理解的各別，與所發生枝節上的感覺和體驗，也會造成許許多多的不同。我們過去所講的，只是原理原則的大要，並無多大的出入。

但除了道家修煉方術上的「任」「督」脈等的說法以外，另與道家有類同關係的西藏「密宗」和印度「瑜伽術」等，對於氣脈也有同等的重視。可是「密宗」和「瑜伽術」的氣脈，却注重「三脈四輪」或「三脈七輪」，與道家的注重「奇經八脈」，幾乎完全不同。因此修習「道家」與「密宗」或「瑜伽術」的人，不但在方法和理論上互有扞格之處，同時也因此形成門戶不同的異見，互相排斥。此所以被一般人視為「江湖」方術，難以入於正統學術之林，這也是一個重要的原因。其實，這個問題的癥結所在，是由於所學的不博，或者好學而不深思體究，因此沒有融會貫通，視同冰炭。殊不知無論學「道」、學「密」、學「瑜伽」，乃至要作道、密、瑜伽的工夫，要達到他們所標榜的境界，除了以身心作工具，由這個身心來實驗方術的效果以外，更無別的依據了。既然同是運用人我的這個身心，難道因為方法的不同，就可以使得五臟六腑、神經、骨骼等改易位置，另外換成一副不同的形態嗎？既然不能，除了在觀念與感覺上，受先入為主的理論影響，產生不同的幻覺以外，還有別的具體事實，足以證明其中的確是有異同嗎？如果勉強說是的，那也只是感覺上所注意的重點不同，絕非另有一副不同的身心。

道家與密宗有關氣脈的圖案

中國道家的氣脈之說，由書有明文的莊子「養生主」篇中提出「緣督以為經」與「中於經首之會」的概念開始，就一向被認為「任」「督」二脈為修煉靜坐的要點所在。其實，除了以「任」「督」二脈為主脈而外，最要緊的，還是以「奇經八脈」為全部氣脈的中心體系。但自上古印度的傳統演變而來的西藏「密宗」，它修煉氣脈的方法，幾乎完全與中國「道家」不同。它是以人體內部的「三脈七輪」為主。所謂「三脈」，便是左右中的三脈；「七輪」，便是由梵穴到會陰（海底）的七個主要部位（如圖一）。

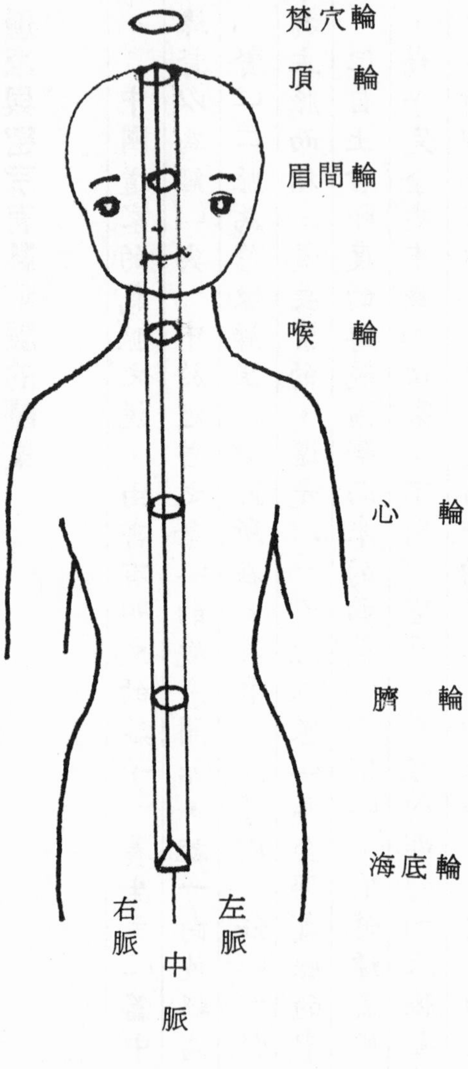

圖一

從「道家」先入為主的修學者，往往對「密宗」之說棄而不顧；篤信「密宗」的修學者，每每視道家為旁門。殊不知「密宗」與瑜伽

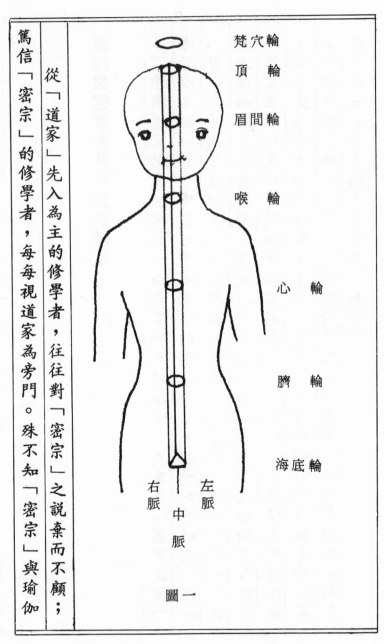

術的氣脈之說，是包括上行氣、下行氣、中行氣、左行氣、右行氣等五行氣和五方佛的作用。魏、晉以前的道家修煉丹道之說，也最注重五行與五色氣的重要；所謂前「朱雀」、後「玄武」、左「青龍」、右「白虎」等說法，在人體而言，也便是包括了五行氣的暗示。宋、元以後的道家，雖然只以「任」「督」等「奇經八脈」作為方術理論的依據，但對左（青龍）右（白虎）二脈的重視與效用，仍有同等的重視。倘若有人博學、審問、慎思、明辨地滙通了各家的所長，便可知道在靜坐的進度中，真正打通「任」「督」二脈以後，自然而然就會發現左右二脈和中脈的重要了。如果沒有真正打通左右二脈和中脈，要想進入真正的「禪定」；也就是道家所謂「凝神聚氣」和「煉氣化神」而進入「天中天」的境界，這是絕對不可能的妄想。換言之，真正打通「任脈」以後，如「密宗」與「瑜伽術」所謂的左右二脈，也便自然暢通迴旋而無障礙了，靜坐的工夫，必須到此境界，那麼才可由技而「進乎道矣」。同時距離打通中脈的遠景，才有希望。

現在讓我們看看中國道家中奇經八脈的分布路線。根據黃帝內經、難經的記述，綜合整理如下：

㈠督脈：

督脈分布路線共有四條：

⑴起於會陰部，循脊柱向上分布，至頸後風府穴處，入腦，上行至腦巔頂，沿頭額下行，達鼻柱。

⑵起於少腹胞中，下抵陰器、會陰部，經尾閭骨端，斜繞臀部，入腎臟。

⑶起於目內眦處，上額、頭頂部，入絡於腦，又分別下頸項，沿脊柱兩旁下行至腰中。

⑷從少腹直上，過肚臍，上連貫心臟，進入喉部，上達面頰，繞唇，抵目下中央部位（分布見圖二）。

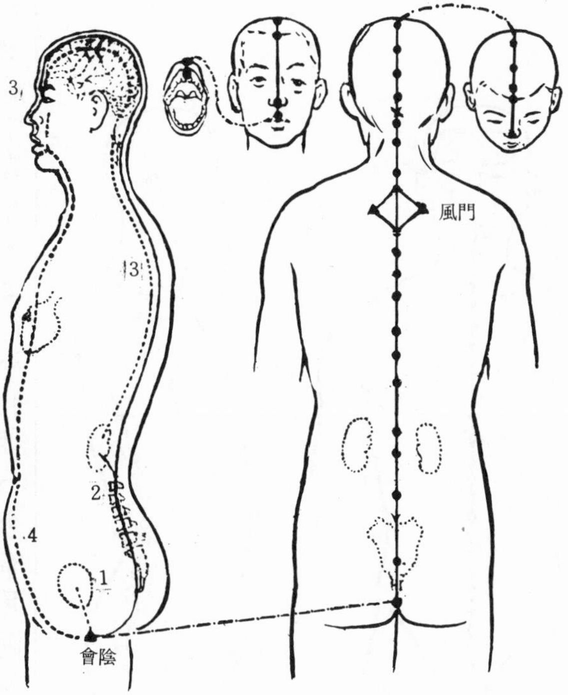

圖二　督　脈

(二)任脈：

任脈分布路線共有二條：

(1)起於少腹部臍下四寸的中極穴，沿腹、胸部正中線直上達咽喉，再上行頰部，經面部入眼部。

(2)由胞中貫脊，上行於背部（分布見圖三）。

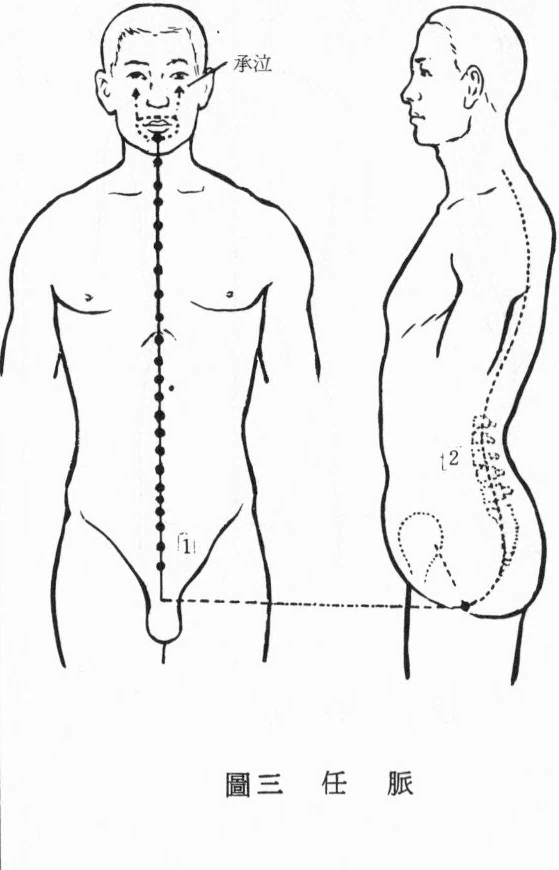

圖三　任　脈

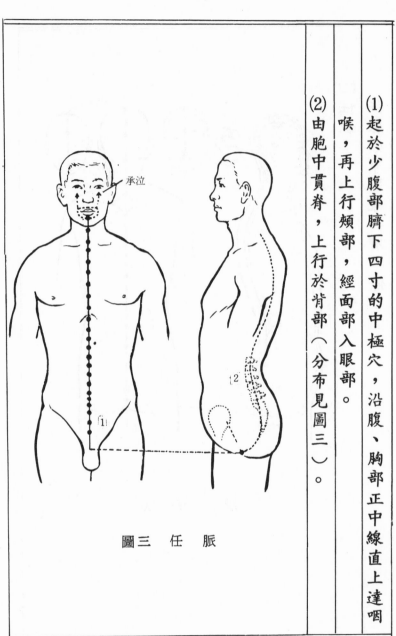

㈢冲脈：

冲脈分布路線有五條：

⑴從少腹內部淺出於恥骨外二寸的氣衝穴，與足少經腎經併合上行（任脈外一寸），抵胸中後瀰漫散布。

⑵冲脈自胸中分散後，又向上行到鼻。

⑶脈氣由腹部輸注於腎下，淺出氣衝，沿大腿內側進入膕窩中，經脛骨內緣，到內踝後面，達足底。

⑷從脛骨內緣斜下行，到足跗上，分布於足大趾。

⑸由少腹的胞中，向內貫脊，循行於背部（分布見圖四）。

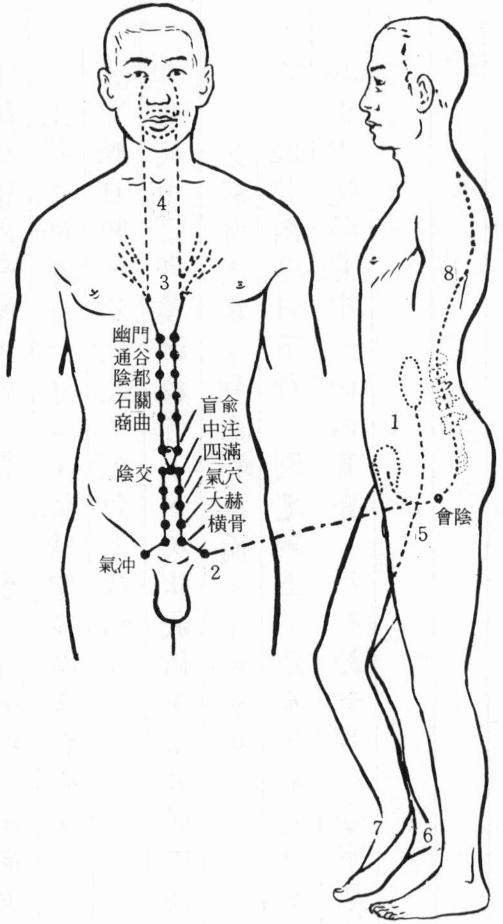

圖四　冲　脈

㈣帶脈：

帶脈起於十四椎，當季脇部下面，環行橫繞腰腹，約相當於繫腰帶的一圈（分布見圖五）。

圖五　帶脈

㈤陽蹻脈：

陽蹻脈起於足外踝下的申脈穴，沿外踝後向上，經股外側，分布於脇肘，循行於肩髆外側，沿頸，上抵口吻旁，達目內眦，入髮際，循耳後，到達風池穴，由腦後兩筋間的風府穴入腦（分布見圖六）。

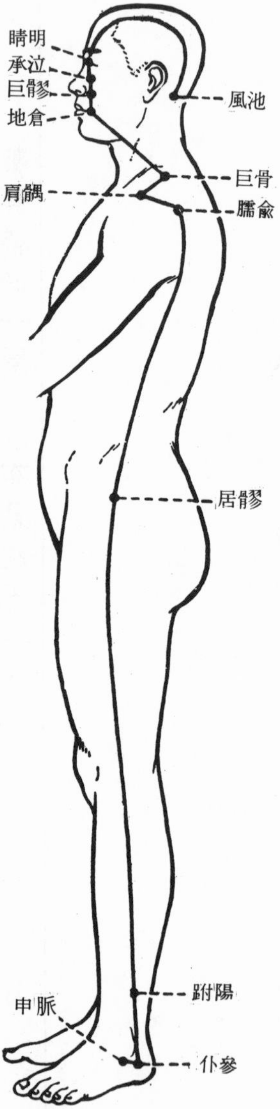

圖六　陽蹻脈

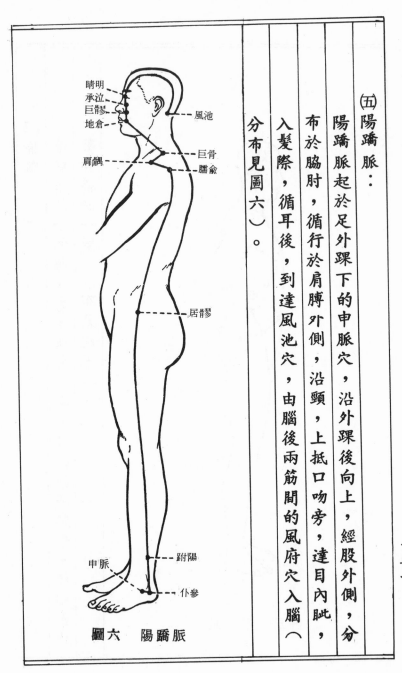

(六)陰蹻脈：

陰蹻脈起於內踝下的照海穴，循內踝，股內側，過陰部，循行至胸前，沿喉嚨入面部，抵目內眦，再上行至腦（分布見圖七）。

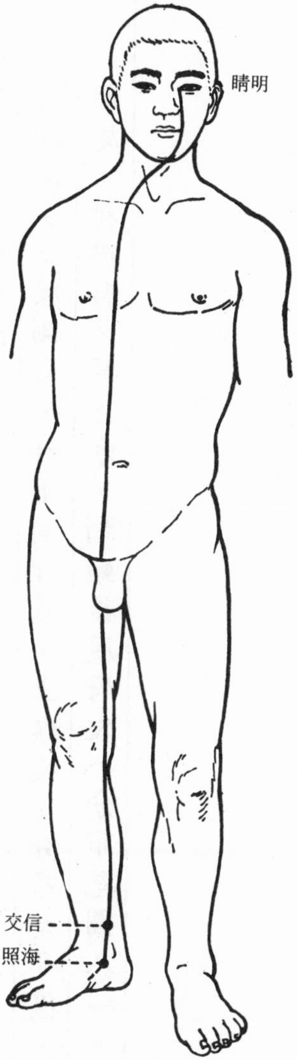

圖七　陰蹻脈

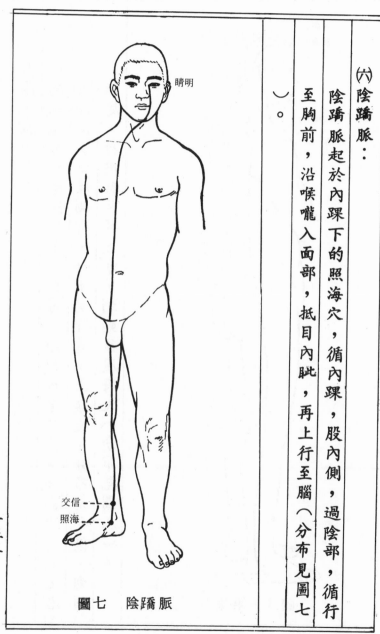

(七)陽維脈：

陽維脈起於諸陽經的交會處，卽起於足外踝下的金門穴，上沿股外側，抵腰側部，斜上肩胛處，上頸後，分布至耳後，到頭額處，再循行至耳上方，到頸後風府穴（分布見圖八）。

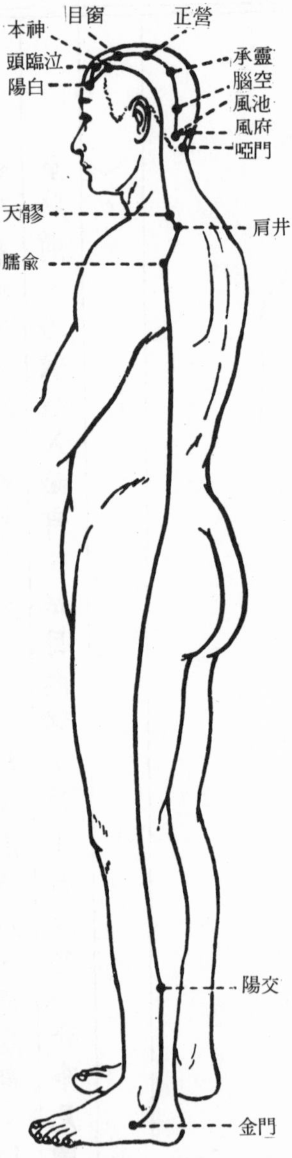

圖八　陽維脈

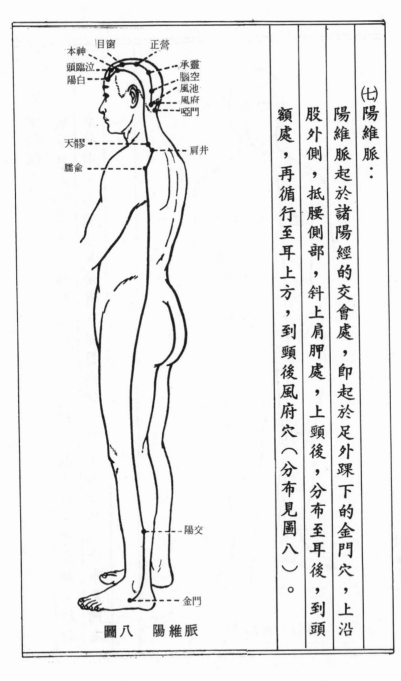

㈧陰維脈：

陰維脈起於諸陰經交會處，卽內踝後上五寸的築賓穴，上沿腿、股內側，進入少腹部，上連胸部，抵咽喉兩旁，與任脈會合（原文及分布見圖九）。

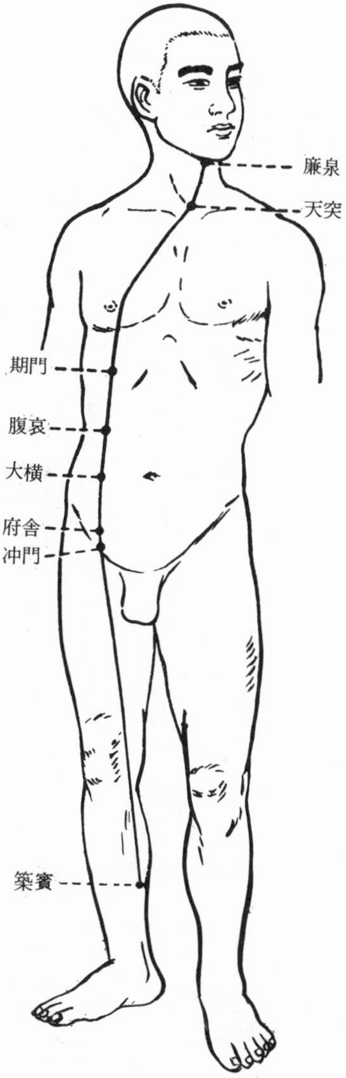

圖九　陰維脈

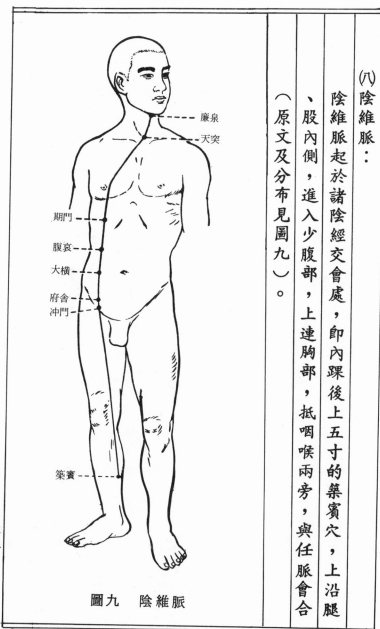

中脈的重要諍論

講到「中脈」，又是一個非常有趣的問題。據我所知，對於這個問題，在「道」、「密」兩家之間，都有「中脈」究竟是有形或無形的論辯，以及「中脈」是否就是「督脈」與「任脈」的疑問。其次，還有認為只有真正修習「密宗」者才能了解「中脈」；原始的道家，本來就不知有「中脈」的存在，所以道家的修法並非究竟等等的諍論。

關於「道」、「密」兩家對「中脈」認識問題的論辯，實在是一個誤解。如果只根據宋、元以後的「丹經」道書來講，他們言不及「中脈」，那是事實。倘使研究中國自古以來傳統道家的方術，便不能忘記黃帝「內經」與「黃庭經」等。「內經」早已有了「中脈」之說，不過在「內經」上的名稱，稱它為「衝脈」而已；「黃庭內景經」的中黃，便是以「中宮」為主，只是沒有像「密宗」與「瑜伽術」的特別強調「中脈」而已。

瞭解了這個觀念以後，再來研究中國傳統文化中正統的丹道，並沒有認為「督脈」或「任脈」就是「中脈」的道理。因此，根本用不著非常吃力的去為它辯護了。宋、元以後的「丹經」，許許多多只是一偏之見，一得之論，一家之言，並不足以概括正統道家的全環，這是絕對不可以誤解謬認的事實。道家所謂的打通「奇經八脈」，如果沒有到達「衝氣以為和」，乃至「黃中通理，正位居體，美在其中而暢於四支。」的實際境界，那就根本全是空言，更無法了解「中脈」真通的景象了。

如果工夫到達「奇經八脈」完全打通，有了「衝氣以為和」的境界時，那便有莊子所謂的：「墮肢體（沒有身體四肢的感覺），黜聰明（絕對沒有妄想），離形去知，同於大通，此謂坐忘。」此時「中脈」的功能發動，首先便有引伸上下通於無際的覺受，自然而然便呈現「萬里青天無片雲」的晴空境界。甚至，無論白天黑夜，滿天繁星呈現眼前，猶如「掌中觀菴摩羅果」一般。平常所有的知覺和感覺狀態，一起忘却無遺；所有人我是非等等世俗觀念，完全遠離消散。

但「中脈」的打通，並非就是全部道果的完成。嚴格說來，打通「中脈」，也只是入道基礎的真正穩固而已。從此以往，前途更加微密深邃，大須仔細努力，的確非有明師指點不可。此外，在打通「中脈」之前，當然先由左右二脈的通暢開始，但左右二脈的通暢，也並非只靠「瑜伽」的呼吸氣功便可奏效。真正打通左右二脈的人，外形的證明，從頭頸的圓滿狀態，和頸部左右兩大動脈管的平滿，以及頸有圓圈的象徵，可以得知。否則，盡是誤人誤己的空談，毫無實義。

關於靜坐與「道」、「密」兩家氣脈的大要原則，到此暫時告一段落。此後再就靜坐與修道的種種關係，逐步分解詳情，另行述說。

爲什麼氣脈會震動

靜坐與氣脈的關係，以及氣脈的變化與生理反應的種種現象，大體已如上述。但許多修習靜坐的人，生理與氣脈的反應，並非完全一例。既然同樣都是人身，同樣都是靜坐，是不是因為入手的方法不同，氣機的反應就會有不同的效果呢？這可從兩方面來講：

㈠由正規的靜坐與修道來講，除了經由「任」「督」脈循規蹈矩的反應以外，實在別無他路。

㈡由體力的強弱、疾病，或年齡、性別的各種不同的因素來講，氣脈與生理的反應，也就各有差別。

至於因入手方法的不同而產生各別的反應，雖然也有一部分的關係，但並非主要的原因。例如：

㈠許多學習靜坐的人，往往有身體震動的現象發生，甚至，由內部的震動而變為全身四肢的跳動，或者自然而然會做許多不同的姿勢，猶如瑜伽健身術的動作，或如太極拳一類的動作。在一般重視神祕觀念的人看來，就認為這是神奇玄妙而不可思議的事。過去有些專門學習「打神拳」的人，便是由這種現象開始。歷史上所謂「義和拳」的「神拳」，乃至有人練習翻「筋斗雲」的工夫，也是從這種現象而造成誤己誤人的後果。

實際上，這是「神祕」嗎？不是的。這種作用，一半是心理的作祟，一半是生理的關係，而且生理的關係，還是受到自我心理的暗示而來。它所發生的原因，是由於在靜坐中，用心太過迫切，因此而引起神經的緊張。再由神經的緊張，反映到潛意識的作用，便使軀體內部神經和肌肉，有了初步抖顫的反應。有了這種反應以後，潛意識自我的暗示，自然而然便進入自我催眠的狀態，因此便會促使神經的震動。因為潛意識對自我起了暗示的作用，便很容易使四肢和整個軀體，發出種種類似有規律的動作。但是一般人，有了這種現象以後，百思不得其解，或者受到震動以後的疲勞所影響，深怕「走火入魔」而放棄了靜坐或修道。有些人則認為已得「神功」，就樂此不倦，自認為有了得道的基礎了。很少有人能夠在這種情況中，深思反省這是由於心理意識自我暗示的關係，因此促使神經緊張所造成的效果。而且由於軀體的發生運動，反而使氣機不能進入「任」「督」脈的真正軌道，而只在肌肉和筋絡之間流行暢通。

如果初學靜坐之目的只求健身強心，或者希求達到如武術「內功」一類的工夫，那也可以由它發展下去。倘使志不在此，那便需要做到自我內心的安靜，暗示神經肌肉的鬆弛，如此方可「更上一層樓」地另外進入靜定的境界了。

㈡有些人因為身體已有病苦而學習靜坐，如肺病、胃病、肝、腎或各種類似有神經性的病態。當他靜坐的過程中，極可能感覺到體內的氣機，在每一部位發生滾轉的現象。大概說來，凡是肺、腎部分衰弱的人，它所引起的反應，往往會感覺氣機在身體左右兩邊作有規律的旋轉。如果是腸胃有問題的，便會感覺在腹部旋轉。倘使肝臟或心臟有問題的，很可能就會感覺胸臆之間或橫膈膜部分，猶如有物堵塞，好像一個痞塊似的。假使能夠打通這種痞梗的感受，便會豁然開朗。不過，更有可能會有大便溏瀉，屙出黏液等的情形發生。

總之，例如「因是子靜坐法」的著者蔣維喬先生，他便是因少年時期患有肺病而開始靜坐，因此自把靜坐過程中所得的經驗，筆之於書，於是就有氣機旋轉等等的現象。此書大可提供學習靜坐者的參考，但絕對不能奉為金科玉律，視如圭臬而一仍不變。

打通氣脈爲什麼

除此以外，依循正規靜坐的法則，倘若氣機通過「任」、「督」二脈，則會發生猶如道家所謂的「大周天」與「小周天」的種種景況，而且都有正規而準確的反應。乃至猶如密宗所謂的三脈四輪都打通以後，又應該怎樣，才是合於修道的規範呢？這個問題，倒是極為重要的問題。在一般修煉丹道者的立場而言，對於氣機通行「任」「督」二脈，運轉「河車」而契合於大小「周天」，向來都視為是無上的祕訣。

但是很多人都忘了「河車」運轉，轉來轉去，又轉到幾時為止呢？須知運轉「河車」，氣通「奇經八脈」，並非就是靜坐和修道的極果。嚴格說來，「河車」運轉和氣通「奇經八脈」，那只是靜坐和修道的開始築基，它對於健康祛病，不無功效，而對於修道與證道，那只算是開步走向軌道而已。「河車」運轉和氣通八脈以後，到了某一適當階段，氣機就自然的不再轉動。那時由於氣機的充盈不動，身體漸感輕靈暖輭而達到「忘身無我」的境界。此時才能豁然自省，認得「圓陀陀，光爍爍」的性命的本元。它確然與後天有形的身體可以分離與和合。然後再把這一靈明的性命之本，重新渾和這個後天的身（爐）心（鼎），繼續鍛煉，如此才可以使得此身此心，能分能合，而奠定修道與證道的堅固基礎，這樣才算是有了初步的成果。

關於前者「河車」運轉和氣通八脈以後的情景，一般丹經道書，只用「璇璣停輪，日月合璧」來作身心空靈渾一的代名詞，從來都被視為神祕而不肯輕易洩漏天機。致使後來的學者，舉世滔滔，統統陷於迷陣而乏程序和條理以資遵循。古人們如此作法，與他以「渡人」

為出發點的心志，究竟是否相合，實在難以辯說了。

關於後者，一般道書，大多只用「重入爐鼎，再整乾坤」等等的形容詞輕輕帶過。其中應當如何若何的再進一步來確實修證，尤其不肯明言，「恐遭天譴」。事實上，天心有好生之德，如果真正與人為善而又曲遭天譴，亦應「當仁不讓」而樂於為人，何必太過自私。

但是在一般學習靜坐和修道者而言，能夠達到真正的「河車」旋轉而氣通八脈的，已經絕無僅有。何況過此以往，真能了解身心性命的可以分離、可以凝合的境界，實在萬難得一。因此縱使要誠心付授，又有誰能一聞而悟地承受得下。並且由此以往，都是超越形而下而進入形而上的境界，卽使願意明明白白的細說端詳，又有誰能具備超世的智慧與經驗可以領會「通玄峯頂，不是人間」的旨趣呢！好了，這些話，可以到此煞住，再說下去，真有可能被人認為是「走火入魔」的瘋言瘋語了。

靜坐與鍛煉精神

一般學習靜坐的人，歸納其動機與心理意識，大約可分為三類：

㈠具有宗教的情感。

㈡愛好神祕的探討。

㈢企求長壽與健康。

以靜坐的立場而言靜坐，所有宗教的意識，神奇的觀念，長生不老的希望，統統歸之而入於靜坐的範疇，也不為過。但無論基於那種動機與心理，開始學習靜坐，總會或多或少，受到道家神仙丹法等觀念的影響。所謂道家的神仙丹法，主要理論便是「人身原來有藥醫」等返老還童的思想。但是這所謂的藥，並非專指醫藥的藥。醫藥的藥物在神仙丹法的理論中，叫做「外金丹」。外金丹對某些人，或者修習靜坐到達某種情況的時候，是不可或少的一種輔助。可是以靜坐與神仙丹法綜合來講，特別注重於「內丹」的修煉。講到內外金丹，便會使人聯想到中國歷史上，許多帝王與名士們，都想「服藥求神仙，反被藥所誤」等自作愚弄而死亡的後果。至於「丹」的正確內容和定義問題，查遍「丹經」道書，均莫衷一是而茫無所從，徒增迷離撲朔而已。我們把這些近乎原則性的理論，也暫時推開不談，等到將來有時間再加討論。現在所要講的，便是討論明代以後神仙丹法的「三煉」之說，以及它與靜坐和氣脈的關係。

三煉精氣神之說

明、清以來，修習靜坐或修煉丹道的人，普遍流行著一種觀念，那便是「煉精化氣，煉氣化神，煉神還虛」，以及最後一句的「粉碎虛空」而歸到「大羅金仙」的境界。因此大多認為人體內在的「精」便是「金丹」的「丹母」。湊合「持盈保泰」與「保精養氣」等理論，使人重視「煉精」的工夫和方法，便是學仙或「長生不老」的基礎。尤其如伍冲虛、柳華陽師弟一派（以後簡稱伍柳派）的丹訣，完全從這個理論出發，作為丹法的基本依據。清末民初，佛家某大師，力闢煉丹修道為旁門左道之術，甚至，視為邪魔外道的魔子魔孫，不屑一顧。這種觀念，未免有「矯枉過正」，和「孤陋寡聞」之憾，而違反了「法門無量誓願學」的謙冲。老實說，無論學道學佛，能夠從保養精氣，「清心寡欲」作為入門的起手工夫，因此而不犯男女性行為的「淫慾」，對於以「持戒」為宗的「律宗」來講，應該是件非常良好的善行。如果也弁此而闢為邪魔外道，未免有傷「佛門廣大」包羅萬象的容德。況且清代以來的出家佛教徒們，叫漏精（遺精）為「漏丹」。對於長坐不臥而精進修行的人叫「不倒丹」（卽是倒褡的變稱），豈不是早已承認以不漏精為「持戒」（不犯淫戒）的根基嗎？問題只是要了解什麼才是「真精」？乃至人體內在的精蟲與卵子，它與「煉精化氣」的「精」，究竟有些什麼關係？必須要弄清楚這些道理，才好正式從事「修道」或「靜坐」。如果對這些原理不明，一味盲修瞎煉，雖然也可說無傷大旨，事實上却有「十人九錯路」的弊病。

修煉的時間和程度之說

同時修煉仙道丹法的人，自明、清以後，從伍柳派的重視和提倡以來，對於修道成仙的過程之說，又非常流行。由此而配合「三煉」的理論，湊泊的如合符節。如說「百日築基」是「煉精化氣」的工夫。「十月懷胎」是「煉氣化神」的工夫，「三年哺乳」是「煉神還虛」的工夫，「九年面壁」是「粉碎虛空」的最後一著。而且還有人拿它與密宗的修煉方法相比，證之於木訥祖師（密勒日巴）由修持到成就的經過，在時間上恰又非常相似。因此這種煉養的程序之說，便深植人心，牢不可拔。並且又證以實際的經驗，所謂「精滿不思淫，氣滿不思食，神滿不思睡」的傳述，確定「煉精化氣」等對於修養過程上的實際效果。於是明、清以後的學習靜坐或修學仙道丹法的人，十之八、九，大都以搬精弄氣為學道的入門方法。甚至，還有較伍柳派的丹法更差一籌的道術，專門以「扐」「扣」等類似「點穴」「推拿」的手法，自我玩弄精神，認為便是「斬斷淫根」的無上祕訣。千奇百怪，牽強附會而著書立說，却甚為風行。

新舊醫學養「精」觀念的異同

時至現在，醫藥的發達與醫學的昌明，已非過去故步自封的時代可比。對於氣血和精神的研究，也已各有專科，不能完全因襲舊說而漠視新知。同時，也不能一律抹煞舊學而盲目地信任新知。所謂科學，它還在「未定之天」的進境中，而正向前邁進，它不像舊的學識，一味妄自尊大地自詡為定論了。

傳統道家醫學的觀念：過去的中國醫學和從事煉養「長生不老術」的人們，認為人體內在的「精」子，便是生命最基本的要素。不但道家修煉神仙的丹法，要以「煉精」為主要的修養，所謂醫學宗祖典籍的黃帝「內經」，也以養精蓄銳為「祛病延年」、「養生長壽」的基本要務，如說：「兩神相搏，合而成形，常先身生是謂精。」又云：「冬不藏精，春必病瘟。夏不藏精，秋必病痢。……」等等，便是說明「精」與養生的重要。後來演變到道家的丹法，尤其重視「還精補腦」為「長生不老」的要務。至於如何才能做到真正的「還精補腦」？真正的「精」又是什麼東西？總是含糊不清，衆說紛紜不一。

現代醫學的見解：現代醫學對於洩精和性行為的理論，恰恰與道家的觀念相反。它認為一個正常的成年人，在相當時間和正常狀況下排洩精液，那是並不妨礙的事。如果勉強壓制性行為和忍精，反而對身體有害。而且認為由性腺內分泌的化合而產生精蟲和卵子，那是生理上的一種自然現象。如果認為壓制精蟲可以增加自身的健康和長壽，等於一種性變態心理的幻想和無知的謊言而已。這些觀念和理論，往往牽涉到「生理學」、「性心理學」、「神經學」、「荷爾蒙」等等學識，頭緒紛繁，尚未有綜合的定論。不過，一言以蔽之，絕對不會有一個純淨的獨身主義者，畢生毫無性行為的洩精（包括遺精、夢遺、手淫等），而能健康長壽地比一般人活得長久。相反的，這一類人，往往因有性變態心理的長期憂鬱，多半死於腦溢血或癌等一類病症。因此，所謂「還精補腦，長生不老。」以及「煉精化氣」等理論，在現代醫學的觀念中，簡直視為一派胡言亂語。

旁門左道的理論：但在中國三千年來的正統道家醫學之外，又同時存在有不同於「清修派」的說法。他們也認為「還精補腦」和「煉精化氣」是不易的原理。但是「還精」和「煉精」的方法，却需要有正當而特別方法的性行為，才能真正做到「返還」與「補腦」的利益。他們的理論也根據「易經」繫辭傳「一陰一陽之謂道」的名言而牽強附會，說得天花亂墜地搞那男女雙修的事情。唐、宋以後道教的「火居道士」（出家而有家室的道士），和唐、宋以後蒙、藏密宗一派的雙身法，都有相同類似之處。至於民間祕密流傳有關性行為之醫學，和性心理學相近的黃帝「素女經」、「玉房祕訣」等「容成」、「素女」之書，也便成為他們的祕訣之一了。此外，還有專傳那些「扐」、「扣」精關點穴的手法，普遍流行。結果弄得那些學道的人，陷於性無能而稱之謂「斷慾」。甚至，因此而得胃病、吐血、鼻衄、腦溢血、神經錯亂等症，比比皆是。至於搞得氣血混濁，面黃肌瘦而生趣蕭索的，還算是不幸中之大幸呢！但是，這些丹訣道書上所說一個人的年齡和精力生長的週期性，以及在那種年齡而可作適當性行為的理論，和現代醫學的研究非常吻合。古人說：「雖小道，亦有可觀也已。」站在博學慎思的立場而言，旁門亦門，左道亦道，倒也有不可一概抹煞之處。

認識眞精

那麼，「還精補腦」與「煉精化氣」等說法，完全是子虛烏有的事嗎？這又不然！我們必須瞭解了以上所提這些新舊道家和醫學上的觀念，再來討論此事，才能比較踏實。真正道家所說的元精是什麼？一言以蔽之，「生命本有的自然功能而已」。老子引用嬰兒「不知牝牡之合而朘作，精之至也。」的狀態，便是很好的說明。例如一個在成長中的嬰兒，當他在睡眠的時候，絕對還沒有男女性慾的意識，但是他的生殖器卻翹起，那便表示生命本有精氣（也可稱之謂精力）的散布和生長的功能。到了孩童的階段，一旦有了性的需要和性的知識以後，當性器官發動作用時，便會引發心理的性慾觀念；或者因為淫慾的衝動，就促使生殖器翹起，心身互相影響，互為先後，並不一定。這個時候，性腺內分泌與腦下垂體內分泌等一系列的荷爾蒙，都會受到性心理的刺激而發生變化的作用。由於心理和生理（神經、血液、荷爾蒙等）互相交變，內分泌通過睪丸與子宮的刺激反應，便迅速的製成精蟲和卵子。再進而有性行為的交合作用，便會產生洩精的現象。

瞭解了這個道理以後，所謂「還精補腦」和「煉精化氣」的工夫，是指在心理上沒有絲毫慾念的狀態，但性器官却本能地發生了作用的時候。那時只要做到絕對的清心絕慾，讓它依循生理自然的血液循環而歸於平淡，就可自然而然達到不還之還、不補之補的境界了。如果有了慾念配合性器官的作用，已經使性腺荷爾蒙和精蟲的活動發生作用以後，再來有意去採補回來，控制它而「扐」令迴轉，便會使膀胱和血液裏增加一大堆的廢物。輕則迫入膀胱，影響攝護腺等機能的嚴重負擔。重則會使心臟、肺、肝、腦神經等，發生最壞的嚴重後果。道書丹經上要人認識清楚，「水源清濁」之說，便是對這兩種現象的差別而言。

但在事實上，一般修學靜坐和修道的人，每每到了這個階段，幾乎無人能夠做到「腇作」而不引起絲毫的慾念的。卽使偶然一次可以，再接再厲，由於生理的作用壓迫心理，就萬難清淨自守了。因此以「百日築基」、「煉精化氣」的工夫來說，的確便有「學道者如牛毛，成道者如麟角」的慨嘆。倘使年老精力衰竭，或者因病，或者因作那些旁門左道的工夫而使性無能，或者性腺根本失去新生的能力，因此而心理毫無慾念的，那是生機已絕，根本談不上修養鍛煉的工夫。但是，以上所說的，也只是從生理的作用而大概一講有形的精氣而已。如果再進一層而追究能生精氣的根源，那便要探索佛家所說的「心精」，才是「無上丹法」的「真精」之至理哩！

靜坐與「煉精化炁」的剖析

為了要切實認識「煉精化炁」的真正意義，首先必須要注意「精神」、「精氣」、「精力」、「氣力」、「心力」這些名詞的連鎖關係。本來在中國傳統的文化思想中，精和神這兩個名詞，也同「精」和「氣」這兩個名詞一樣，完全是獨立分開的。後來雖然把「精神」兩字連接起來成為一個專有的名詞，究竟「精神」一詞的內涵意義是指什麼，很難下一確切的定論。

到了漢、魏以後的道家手裏，特別提出「精」、「氣」、「神」三個名詞，作為修成神仙不死之藥的主要中心，那是根據黃帝「內經」和道家的「黃庭經」而來的。黃庭經所謂的：「上藥三品，神與氣精」，便開啓後世修道煉丹者更加重視「精」「氣」「神」的先聲。經常有人來問「精」「氣」「神」這三個名詞的明確定義是什麼？實在很難解釋。但是為了較易瞭解，我就引用宇宙物理的「光」「熱」「力」來作比方。「精」是生命的「熱」，「氣」是「力」，「神」便是「光」。人生的生命，如果失去了「光」「熱」「力」的功能，那便是死亡的象徵。

「精」「氣」「神」在人體生命的作用上，的確猶如宇宙物理的現象一樣，也是逐段分開，而又互相混合。「神」的主要作用，是在頭腦部分；「氣」的主要部分，是在胸腔和胃部；「精」的主要作用，是在腎臟小腹以下和睪丸生殖器等部分。其中「精」的作用，和現代醫學所謂內分泌（Endocrine）的整個系統有密切的關係。但是如果認為「氣」必然從「精」而生，「神」必然從「氣」而有，那是不通之論。如果以「光」「熱」「力」的道理來講，「熱」和「力」都是由於「光」的功能所產生。以此類推，「精」和「氣」的確也是由「神」而有。如果一個神經顛倒的人，他的「精」「氣」也會自然而然的趨於虛弱了。

其次，必須要瞭解人體生命的快樂感覺——「快感」，是從「精」而有；意志的堅定和毅力的光明，是從「氣力」充沛的功能所發生；智慧的敏捷和超穎，是由「神」的定靜而來。佛家重視「修心養性」，從思維的方法改變心地，作為入手修行的根本，它的功效和成果，的確是偏向於「神」「氣」二種，猶如道家的上品丹法一樣。但自然而然也就融會了「精」的修煉而在其中矣。宋、元以後的道家注重「煉精化氣」「煉神還虛」的方法和程序，也等於佛家「持戒、修定、生慧」的三大原則。如果通達了它的內容，實在並無兩樣。

由此可知專執人體內部性腺內分泌的「精蟲」、「卵子」，為修道靜坐的基本，那是值得仔細研究的問題。不過，這種觀念和方法，對於體力衰弱或已過中年和將近垂暮的人來說，那又須另當別論了。總之，修道和靜坐，是一種智慧之學，它並非靠盲目的信仰和固執的偏見，可以貫徹始終的。

人的生命歸納起來，不外是「身」「心」兩種的組合。但是生理「身體」的主要功能，歸納起來，又不外是「精」「氣」兩種作用，它是屬於「感覺」的範圍。「心」的主要功能，一言以蔽之，都是屬於「知覺」的範圍，它是「神」的作用。過去所說的，都是依循一般「靜坐」和「修道」的路線來講，所有在「靜坐」中有關生理的反應——即是氣脈的動相，也都是「感覺」的部分。「感覺」是後天的，而且也是變化不定的。修道的成果，初步是從「感覺」入手而返還「感覺」與「知覺」，進入於渾然一體的境界。但是離開「感覺」，也就無法從事於修道。

所以必須要瞭解氣通「任」「督」二脈，乃至全盤打通了「奇經八脈」，那也只是「感覺」所成就的效果而已。而且在「煉精化氣」的過程中，自有一番氣脈通暢的反應，跟著工夫的進境而反映不同。在「煉氣化神」的過程中，又有一番氣脈通暢的反應，自然與「煉氣化神」的工夫配合，各有不同的境界。古來「丹經」上所說的「九轉還丹」之妙，後世有人硬加牽強附會，把它配合上氣脈的關係，如何若何地轉通「任」「督」二脈多少次，才算是合於九九之數。雖然有點過分牽強，但是拿來說明鍛煉「精」「氣」「神」的三部曲，每一層自然有每一層的內涵變化，倒也不可厚非。

上面講過，我們要認識「煉精化氣」的工夫時，首先須要瞭解什麼才是「真精」，切勿完全否認了後天的「精力」作用，或誤認後天的「精蟲」「卵子」便是「精」的絕對代表。其實，後天的「精力」，也是真精的變化。換言之，新生命的來源，與性腺、甲狀腺、腦下垂體，是有絕對的關係的。當性腺充分活動，而絲毫沒有配合意識觀念上的淫慾時，這時的確是接近「真精」的狀態。由此保持不變，由於性腺活力的充沛，久而久之，自然而然產生一股力量，走向脊髓神經的尾根，逐步逐步的向上推移，漸漸就由上而下，刺激了腦下垂體新生的活動功能。這個時候所刺激反應出的唾腺，又促使甲狀腺的活動，在感覺上，心胸愉快開朗，莫可言喻。但這種初步現象，應該只能說是「督脈」在「煉精化氣」過程中的一種狀況，並非說修道的成果，僅止於此而已。功夫踏實的人，一身細胞都會起變化，細嫩透亮，那是不成問題的事。尤其在面部的肌肉和細胞，更加顯著，仔細透視，隱隱約約，自然都會呈顯出充沛的光彩。但如果紅光滿面，而肌肉的細胞並未發生顯著的變化時，那是一種歧途，要當心可能「血壓」過高。這是由於心念的執著過甚，或有「相火」游行，夾帶有色慾的嫌疑。

過此以往，跟著而來的，便是「任」脈——包括自律神經系統的打通。尤其是「中宮」胃氣的充盈，漸漸有沈沈下降的感覺。到此之時，如果能心空清淨，靜待睪丸和「會陰」（又名海底）的自然收縮，（女的便有子宮收縮，乳房發生反應的現象。）覺著如有一線力量，自前向上循恥骨之內而上衝到小腹的「下丹田」部分，與「中宮」下降的氣機相接，陡然之間，促使青春腺（腹部）的活力恢復，發生無與倫比的快感，卽使男女兩性性行為的快感，也難以相比。同時這種快感，循雙腿內股而直透到兩足心和兩足趾。那時其樂融融，如飲醇醪而恬然舒適，這才算是真正「煉精化氣」初步的成就。

至於在此過程中，因為男女老幼、體力強弱、秉賦異同等種種關係，各人的變化和過程中難受的刺激，雖然因人而異，但也是必有的現象，一時說之不盡。而且「靜坐」工夫到此，還有隨時因事而退墮的可能，如不謹慎小心，又缺智慧的開發和保障，也只等於一番遊戲而已。「煉精化氣」是打開青春腺之結的一步工夫而已，絕不可得少為足，以此沾沾自喜。而且這種種情況，都是屬於「感覺」的狀態，只能說是修道的「加行」（加工）的徵信，離證道還很遙遠。如果真能達到如此境界，那麼「返老還童」和「却病延年」，是不成問題的。

煉氣和止息

有關「煉精化氣」的大概情形，已經略如上說。接著便要講「煉氣化神」的事了。但「煉精」真能化氣嗎？「煉氣」又如何才能化神呢？這些口說，粗聽起來，好像都是言之成理，頗足引人入勝。事實上，在在處處都是問題。上文已經講過「精」非「精液」之精，現在更要說明純粹的「真氣」，也非呼吸之氣。真正講究修煉的人，只須初步借用呼吸的氣機，引發人體本自具有的「真氣」而已。那麼，「真氣」究竟是什麼東西呢？這真是一個難下定義的問題。尤其對於外國友人來講（包括西方文化的各個語文系統），更加難以說明。在西方的語文中，提到這個「氣」字，便自然要想到瑜伽術（Yoga）和

Prana這個字。但這個字的涵義和道家與真正禪定工夫所謂的「真氣」，還是存有小同大異之處，並不完全一樣。如果勉強引用現代自然科學的知識來講，也可以命名它是「人體的生命能」或者比較相近。

一般學習「靜坐」或作修道工夫的人，只要在「靜坐」的過程中，發生了感覺的反應，大多數便認為是「氣機」的發動，已經有了「煉精化氣」的作用了。如果因為「靜坐」工夫的累積，這種感覺反應蔓延擴張，循著背脊部分延伸，或在胸腹部分也有了感覺，便認為是氣循「督脈」上行，已經迴轉而打通「任」、「督」二脈了。其實，只要身體健康，或者身體衰弱而稍帶病態的人，能夠長久保持一個固定的姿態而靜坐不動，或者很快或者很慢，多多少少，都會有這種感覺的反應。但這絕不是「煉精化氣」的真正功效。雖然這種過程中的反應，也是靜坐的功效，並非壞事，但對於初步的「煉己築基」而言，還是未曾打好基礎。如果對「煉精化氣」來說，更有很長的一大段距離。

氣息的神奇和奧秘

真正講到「煉精化氣」的境象，只有借用在靜坐的過程中，自然地停止呼吸的境界來做說明，較為確實。不過要做這個說明之先，對於停止呼吸的境界，必須要先作兩種必要的解釋。首先需要知道在靜坐的進度中，所謂自然地停止呼吸，用一般修道作工夫的術語來說，便叫做「止息」。在佛家四禪八定的進度中，又叫做「氣住」。在瑜伽術的修煉方法中，便是真正「瓶氣」的工夫。普通練習瑜伽術的，有意來控制呼吸而使其停止的方法，雖然也叫做「瓶氣」的工夫，但並不算是上品的成就。如果靜定工夫到達而自然地停止呼吸，那才是真正「瓶氣」的境界。所以密宗便另行命名它是「寶瓶氣」了。

其次在靜坐的進度中，因為心念的太過專一，偶爾也會覺得呼吸近於停止。當這種狀態發生時，有時就會感覺全身僵直，稍微帶有僵硬的感覺。實際上，這是因為用意太專，漸漸促使全身緊張的關係。這種類似停止呼吸的作用，並非真的是「止息」和「氣住」的境界。嚴格說來，這是由於神經的過分緊張所致。在這種情況中，執之太過，不能放鬆返還於自然，往往會弄得心境枯槁，生機木然。甚至，更嚴重一點，便會使身體和四肢的各個關節，進入僵硬的病態。雖然並非如小說家所謂的走火入魔，但至少已經因此而得病了。如果因靜坐而到達這種境界，自我治療的唯一方法，就是要把自己的身心儘量的鬆弛，甚至，儘量哈出力氣，自我放鬆，任意進入自然呼吸，就如平常人睡眠時的狀態。這樣只須很短的時間，便可「更上一層樓」而轉進新的進度了。倘使有些用工太久的人，雖然努力施用這種方法，僵持的狀態還是依然如故，那就只有用密宗和道家的特別教授法了。

再次，倘使真正由於精力充沛，身心寂靜的效果而氣定神閒，達到「煉精化氣」的境界，必有的第一步現象，便是全身柔輭而猶如乏力一樣，再進一層，自己便會感覺到「柔如無骨」，渾身氣機在毫無覺受的狀態中普遍地充滿。孟子所謂的：「粹面盎背而暢於四肢。」老子所謂的：「專氣致柔能嬰兒乎！」的情形，便自然地體驗到了。這個時候的境界，真可忘去身心的感受，好像天地人我，都入於渾茫一片的狀態。「丹經」道書所謂的「渾沌」，以及莊子所說的：「墮肢體，黜聰明」的實際情況，都可體驗得知確為真實，並非假設空洞的理想。如此再靜定下去，起初感覺鼻孔的呼吸減弱到了微之又微的程度，而後肺部的呼吸近於停止，小腹內在的「丹田」開始有了翕闢（收縮放鬆如呼吸）的作用。道家所謂的「胎息」或「內呼吸」，便是這種境象。再次而等到內臟各部分的氣機都充實以後，循食道喉管而上達舌尖的一系自律神經，自然的鬆暢舒適，「丹田」的內呼吸也隨之由微弱而漸至於停止的情形。這時久已沈沒在腹部的「青春腺」又恢復了活動的作用，猶如童年時期無慾無情的牽連，便自能發生無比快感的「內觸妙樂」。生殖器官隨睪丸收縮的氣機，上循「任脈」而使舌尖自然上翹，封抵了小舌頭部分，自然地停止了呼吸。這才算是「煉精化氣」初步的真正境象。

變化氣質和氣的週期

同時在此也可附帶的提到有關儒家學說「變化氣質」的觀念。在一般只講讀書求學問的人來說，能夠真正做到讀書明理，從人生日常的言語行為和待人處事之間，確切的體會到學問與知識對於修養的實際應用，做到心平氣和的，便是學問「變化氣質」的最明顯造詣。這是由心理入手，改變心性修養的路線，確實有理，一點也沒有錯。但嚴格的說來，這還只屬於「養氣」和「養心」的工夫。氣變而質仍未變。所謂質變，必須是連帶生理功能的轉變。如果只從心性修養，而不配合生理修煉到達上述「氣住神閒」的境界，那麼，所謂「變化氣質」之道，也僅屬於一句理念上的名言，而並非實際履踐的愷切工夫。

如上所說的種種，我們平常學習佛家天臺宗的「隨息」「數息」「觀息」和道家的「心息相依」，以及一般內家氣功的種種修煉方法，對於達成「煉精化氣」和「煉氣化神」的作用，又有什麼關係呢？關於這個問題，說來便會牽連到一般「丹經」道書有關人身呼吸的理論了。許多專為修道、修煉內丹或靜坐功夫的書籍上，有關人體氣脈的理論，大體都根據原始醫學原理的「內經」和「難經」的抽象觀念，說明氣機或氣脈在人體內部的行度和作用。古往今來，有許多學道或修煉靜坐的人，便死守這種傳述，信以為真，浪費很多寶貴的精神和時間，從事那些不切實際而太過抽象的工夫。現在在此特作聲明，以供參考。

我們過去原始粗淺的自然科學觀念，往往把許多事物，都納入古代天文數字或抽象的「易經」象數的數字裏去。所以許多「丹經」道書，也隨「內」、「難」二經一樣，把人體的氣脈作用，區分為五候、六氣，和三百六十週天度數，或八八六十四卦的觀念。因此而使後世進入似是而非、迷離惝怳的影響之談中去討生活了。例如古代最早的天文學理之說，認為「周天三百六十五度四分之一。太陽每日繞地一週而過一度，每歲紀三百六十五度零二十五刻。太陽行一週天卽是一年。四歲共積盈百刻而為一紀。」云云。人身是小天地，氣脈運行之數也同此規則。如說：「人一呼脈行三寸，一吸脈行三寸，呼吸定息，脈行六寸。人一日一夜，凡一萬三千五百息（分開一呼一吸而加一倍數，也只等於二萬七千息。），脈行五十度而週於身。」這等於說：「呼吸氣二百七十息，脈行三十六丈二尺為一週。五十度週身，計一萬三千五百息，脈行八百十一丈。每日從寅時起復而至於卯。」於是從事修道、靜坐的人，便都根據此說而作調息的工夫。其實，這個數字的根本問題，都誤在古代測驗時辰刻漏方法的不夠標準，這種理論和數字，是大有問題的問題，不足據以為信。根據科學事實和準確醫學的經驗，人的呼吸，平均每分鐘十八次。一天廿四小時，平均共二萬五千九百二十次。脈搏平均每分鐘跳動七十二次，等於呼吸的四倍數。太陽系統的運行旋轉，也是二萬五千九百二十年為一週期，這個總數也就是各大行星回復到相同相對位置所需要的時間，所以叫做太陽的大週期（The Great Sidereal Year）。

煉氣不如平心

一個人的身心能夠在絕對靜止的狀態中，內無思慮妄想憂悲苦惱的打擾；外無動作勞力勉強的加行，不昏昧、不意亂神迷地順其呼吸的自然，過了一個晝夜的時間，所有體能的精力和氣力，便自然而然地恢復到充盈的原來狀態，猶如太陽系統各大行星在一週期回復相同的相對位置。如果能夠在這種恢復原來充盈狀態的時候，在某一「剎那」之間，呼吸往來的氣機，也就自然地「須臾」止息，達到飽和的程度。此時如能「持盈保泰」，配合心理上真正的平靜清虛，纔可真正做到「煉精化氣」和「煉氣化神」的功效了。可惜有許多修道做靜坐工夫的人，不明此理，反而執著「丹經」道書上的舊說，加上「師心自用」的謬見，拚命的在那裏一呼一吸地煉氣功，一天到晚，哼啊哈啊的「吐故納新」，認為自己在做「煉化的工夫」，真是其智可及，其愚不可及也。「由來富貴原如夢，未有神仙不讀書。」因此奉勸講究修養之士，煉氣不如平心，然後才或許能收到「窮理盡性以至於命」的成果，至於各種有關煉氣的方法和工夫，對於健康也有幫助的，種類很多，應當另作專論。

三花聚頂和五氣朝元

道家所謂「煉精化氣」的氣是什麼東西？中國醫學所謂的「氣血」的氣和「中風」的風，是否都同道家所講的這個「氣」字一樣？這些都是很重要的問題。漢代以後的中國醫學，大都把氣流的風和人體呼吸的氣混而為一，這也是有問題的。不過這些問題都是個別的專論，現在從本題範圍去討論它，一時也講不完。前文曾經提到，暫且借用現代科學術語的「生命能」，作為解釋氣的概念。換言之，也就是要學習靜坐和修證健康長壽術的人們，不要把人體口鼻呼吸的氣，以及大氣中的空氣，就當作道家或密宗所謂的氣。否則，統統落在生理的感受範圍，錯把神經和肌肉的反應當作是「真氣」的流行，那是一個嚴重的誤解。

退而言之，如果只把肺部的呼吸和生理反應的作用，當作煉氣的成果，那麼綜羅道家、密宗、瑜伽術等的各種大同小異的煉氣方法，至少有幾十種甚至一百種之多。雖然無可否認的，人體生理上的口鼻呼吸，以及部分其他器官和皮膚呼吸的作用，是修煉的基本動作和工具，但不能誤認為這就是靜坐養生或道家丹法的真諦。

照道家養生的修煉方法，真正達到「煉精化氣」的程度，那是什麼景象呢？這便須要留意道家所流行的兩句術語，所謂「三花聚頂」「五氣朝元」。「三花」與「五氣」都是比喻的代名詞。三花即是「精」「氣」「神」。「五氣」，便是心、肝、脾、肺、腎；或另用五行的代號，即是金、木、水、火、土等；至於印度的瑜伽術中，却以上行氣、下行氣、中行氣、左行氣、右行氣等叫做五氣。名辭不同，實際上都是共通的。聚頂的頂，當然是指頭頂的「百會穴」，也就是道家所謂的「泥洹宮」，密宗所謂的「頂輪」和「梵穴輪」的連帶關係。不過朝元的「元」，却有不同的說法：有些根據醫學經脈穴道的觀念，便說這個「元」是指「關元穴」的部位，也就是一般所謂的「下丹田」，有些人却認為這個「元」是指「會陰穴」，也就是密宗和瑜伽術所謂的「海底」。誰是誰非，從來就無確證，除非真有修煉到家的神仙肯出來當場指證，或許可息此一爭端。不過，從學理和中國文字學的詮釋，以及經驗的求證，我們認為這個「元」字是與本源的源字通用。換言之，所謂「元」，便是指原來的本位現象而已。所謂「五氣朝元」，也就是說人體內部的腑臟之氣，各歸原來的本位，充滿、和諧、均衡而沒有窒塞。我們簡略地從學理上解釋過這兩句話的意義以後，再從實證的現象來作說明。

「三花聚頂」的景象：靜坐到達精化為氣的階段，奇經八脈的通暢情況，猶如以往所說，已一步步獲得了實證。從此漸漸到達忘去身體的感覺，周身如嬰兒似的柔和輕輭，非常安適妥貼，若存若亡。此時，唯一還有感覺的便是頭腦的反應。再漸漸的靜定下去，眼前的目光便有返照的現象。到此忽然會進入幾同完全忘我的境界，只有頭頂「泥洹宮」「百會穴」部分，感覺如天窗的開啓，如陽光的透射，豁然開朗而呈現無比的清涼之感。猶如乘虛而下的一股清虛之氣，下降而遍洒及於全身。道家丹經所謂的「醍醐灌頂」，便是形容這種境界。不過，到此程度，最怕的是學理不明，觀念不清，內心如果存有絲毫的幻想，或潛意識中存有強烈的宗敎意識，可能便會心神出竅；如果再配合其他的幻覺，便有許多類似神祕性的景象出現了。對此種種境象，必須要一一掃除，不落筌蹄才為究竟。

「五氣朝元」的景象：由於以上所講「三花聚頂」景象的呈現，或者在同一時間，或在稍息之後，忽然感覺呼吸之氣自然地完全停止，周身綿輭，不藉後天的呼吸而溫暖怡適，平時所謂的內呼吸（丹田的呼吸）這時也自然的停止了。只是過了很長的一段時間，偶然的需要極其輕微的呼吸一次。此時有如在風和日麗的景象中，微風不動，水波不興，身心內外，天地人物，無一而非安於「中和」的本位，更不知道有我身的存在或無我身的存在，這些平時的感覺和思想，統統都自然地去得無影無蹤了。

靜坐或修道的實際工夫，如果真能做到如上所講「三花聚頂」「五氣朝元」的情況，那麼，煉精化氣的基礎工作，可以說是告一段落。不過，這種基礎，可不能偶一而止的，必須要「持盈保泰」，恆常如此，而且可以自由作主的要如此便如此才算數。倘使在靜坐的過程中，偶然有過一次類似經驗，瞎貓撞到死老鼠，一見永不再見，那就不足為是。但從此要進到「煉氣化神」的境界，就必須和「道」的觀念結合，並非只屬於靜坐工夫的範圍了。

煉氣與化神

靜坐與煉神的關係最為重要，但什麼叫作神，必須先要有正確的認識。一般提到神秘學，便很容易和宗教神的觀念連在一起，或者就走入神秘的領域。宗教上的神和神秘學，在某些方面也很相近，但在作用上却有差別，尤其對目前的神秘學來講，它已經進入科學範圍，日新月異地正在向前探索。現在純粹從靜坐而接觸到修道的境界來講，必須對中國的醫理學和道家、丹道學派的神之觀念先有些瞭解。

神是什麼東西

易經繫辭傳上的神之觀念：

「神无方，易无體。」「陰陽不測之謂神。」

黄帝內經—太素本神論中的神之觀念：

「神乎神，不耳聞，目明，心開，為志先。慧然獨悟，口弗能言，俱見徧見，適若昏，照然獨明，若風吹雲，故曰神。」

司馬遷父子所說道家的神之觀念：

「凡人所生者神也，所托者形也。」「神者生之本也，形者生之具也。」（司馬談）

「神使氣，氣就形。」「非有聖人以乘聰明，孰能存天地之神而成形之情哉！」

除此之外，在漢魏時代後出的道教「黃庭經」，把人體內部所有的官能，都配合上神的奧祕以外，五臟六腑與每一細胞都有一個神的存在，由此而知丹道學術中的神，它是接近科學性的，並非完全宗教性的。

氣化神的境界

在靜坐的過程中，如果真正到達了「三花聚頂」「五氣朝元」的境界，再進一步，便很自然的要進入煉神的領域了。可是在「煉氣化神」的階段中，其中的岔途，非常的多，比起初學靜坐時「煉精化氣」的情形，更為微細難辨。而且它與精神病、神經病、心理變態等相似病症，往往互為伴侶。如非真正智慧的抉擇，可能就把神經當作神通而自我陶醉，自取毀滅。可是，也不要因此而過分擔心駭怕，照理來講，到此境界，正知正見的智慧應該自會開發，不易走入邪途才對。不過，真正智慧合道的境界，的的確確是靠本身積善的修養功行，如果平時只求個人靜坐的效果，並無捨己為人積功累德的力行培養，到此，除了比平日更為聰明以外，真正智慧合道的種籽，也很難出現的。總之，講到氣化神的境界，不但從事靜坐的人能夠真正到達的並不多見，卽如道、佛兩家的丹經道書上，真正把它明白寫出的也不多見，大致描寫這種情形的，多半是用隱語或含糊其詞的說：過此以往，自有神明來告而已。

現在，我們為了結束靜坐與生理反應的變化部分，最後必須對此簡要的作一交代，然後才好轉入靜坐與心理部分的研究，因此，姑且提出煉神過程中一些比較容易體會的現象，貢獻給一般修習靜坐者的參考。

煉氣化神三問

一、怎樣才算是已進入煉氣化神的階段？

在靜坐的過程中，如果已經經歷過如上述連續所講的種種經過，真正到達了「三花聚頂」、「五氣朝元」的階段。有關生理反應的變化，除了渾身溫暖如春，祥和柔輭得猶如無身忘我，只有樂感，絕無任何稍微的苦痛反應。而且身心內外，猶如沐浴在一團光明的景象中，尤其以頭部更為強烈。此時，感覺整個的天地宇宙縮小的融於我的範圍，我與虛空渾然融成一體而不可或分的時候，便是煉氣化神的境界，就要呈現在前了。

二、真有神我出竅的事嗎？

所謂神我出竅，一般道家的丹經道書上，都有繪影畫形的想像，儼然另有一個自我的嬰兒之身，從頭頂以上冲天而起。然後又加上「十月懷胎，三年哺乳，九年面壁。」等等說法。尤其以明、清以後，伍（冲虛）柳（華陽）派的修煉方法，更加煞有介事的強調其詞。因此一般人便認為神我出竅是靜坐成功者的必然景象。事實上，這種情形，却正是氣化神的歧途差異，自己千萬不可冒昧自信而使自己上當。

現在為了述說的方便，按照一般丹道派的觀念，先來分析神我的界限：

㈠陽神。

㈡陰神。

依照丹道派的理論和原則，真正的神我出竅，是指的「陽神」。所謂陽神，它是可以脫離這個血肉的軀殼，能夠變成有形有相的另一自我生命之存在。換言之，就是除了這個肉體以外，另外已經構成一個身外有身的另一生命之存在。一切言行舉動，都可自由猶如現在。如果只有自己感覺到另一個生命的形體，或有形相，或無形相而可以出入這個肉體軀殼之外，而別人無法看見，並且也不能接觸實體的物質境界的，便叫作「陰神」。陰神猶如夢中之身，但較夢中之身更為明晰清楚而已。倘使按照道家修煉之理論和原則，修煉到真正能出「陽神」，才算是靜坐與修道的成果。假使只把出陰神當作究竟，那還是落在普通凡人或鬼神的陰境界之生命中，並不算是究竟。

現在暫不討論出「陽神」的有無和事實問題，姑且先來討論一下出「陰神」的情況。這在一般靜坐或修道的人來講，那並不算是什麼嚴重的難題。某些從事靜坐的人，很可能在未達到精化氣，或氣化神的階段，便有此種相似的經驗。而且不作靜坐和修道的平常人來講，如果身體精神衰弱，或有某種重病將近危亡的時候，甚至，精神病或神經病、夢遊症或離魂症的患者，隨時也有類似這種現象發生。換言之，所謂出「陰神」的情景，那是和精神分裂互相毗鄰的狀態，絕對不是好現象。如果屬於神經質的人來從事靜坐，這種現象很容易發現。事實上，在靜坐的過程中，發現這種景象，往往是由心理上潛意識的作祟，配合生理氣機上行腦神經時所引起。只要深於心理的研究，能夠自我反省檢察下意識的作用，便會不被自己所迷惑了。但是世界上的人是很奇妙的，每個人的一生，很少被別人所騙，幾乎大部分的時間和作為，甚至思想和情感，都是自己被自己所騙，而且自己騙自己，騙得深深的，牢牢的。入世如此，修習出世法的何嘗不如此，說來真可一笑。

三、真實煉神的情況確有其事嗎？

我只能說：根據學理的研究，應該是確有其事的。但需要百分百的自由作主才對。換言之，只要把上面所說的：當自我身心與天地宇宙渾然一體，融化在一片光明淨境中之時，那便是正好認識自己神我的初步現象。然後再要進一步凝神聚氣，到達有無隨心，大小隨意，出入自由的程度，才能講到如何煉神，如何由靜坐而進入到修道證道的境界了。過此以往，如非德智兩足，福慧圓融的，實在無法再討論到由形而下，進入形而上的情況。

老生問曰：我家人多，生活空間很小，環境不允許我另闢靜室打坐，除了睡覺的那張大床之外，實在找不出更適宜的坐位了，但是不知道是心理作祟，還是另有什麼不妥，我老覺得在床上打坐容易腰酸背疼，再不然就打瞌睡。倒是夏天席地而坐舒泰清爽得多，請問是否不得在床上打坐？

答曰：我想你睡的是彈簧床，再不然，就是厚厚軟軟的海綿墊，這種軟底的坐位不適宜打坐。一坐上去，壓力不平均，身體為求平衡，下意識的就在緊張中，時間拖久，當然就腰酸背疼，再長期如此下去，毛病更加嚴重。打坐最好在榻榻米或硬木板上面，這樣壓力平均，坐得四平八穩，全身才得以放鬆。如果你要在硬板上鋪褥子，更保暖、更舒適，當然也可以。夏天貪涼，直接坐在水泥地上極不好，無形中寒氣入侵，對身體還是有害。

問曰：我覺得在有靠背的椅子上打坐比較輕鬆、舒適！

答曰：打坐時最好不要靠背，如果在散坐時，因生理過於勞倦，非要靠背不可，一定要軟的，才不會嚴重影響氣機的發動。你所以覺得背上有依靠比較舒服，可能是你太累了，或者你身體太弱了，再不然就是你太懶了。真正端容正坐的時候，任何靠背都會覺得是累贅的。

再問：打坐時，電話一來怎麼辦？家裏又沒有別人代接，不接又擔心會錯過什麼重要的事，坐中開口講話，又怕氣脈出了岔子。武俠小說看多了，下意識的受這種觀念影響。

答：打坐當然要坐透才好，就如同煑開水，一定要煑開了才能熄火。但是萬事難如人願，中途岔進來的事情，也不能不應付。開口神氣散，是道家吝惜肉身長存的小乘語，事實上並不因通電話而壞了你的道行。只是定力不足因此而增加你的散亂心。倒是你那武俠小說的觀念更害人，什麼怕走岔了氣，什麼怕走火入魔，越怕越是真的不行了。

附：修定與參禪法要

南懷瑾先生著　及門劉豫洪語譯（譯自禪海蠡測）

佛法中的「戒」、「定」、「慧」是三無漏學，也就是完美無缺的學問。現在只說「定」吧！「定」就是「戒」與「慧」的中心，也就是全部佛法修證實驗的基礎。換句話說，凡是要修學證明佛法的人，都要先從「定」開始。

有了「定」，才能夠真正達到莊嚴的「戒」體，然後才能啓發「慧」而達到通明的境界。佛法的八萬四千法門都是依「定」力為基礎，才能夠達到菩提果海。任何宗派的修法，都離不開定，由此可見修定是多麼的重要。

不過，所謂的定並不是專指跏趺坐（俗稱打坐）而言，在佛學中，把人的日常生活，統歸為四種不同的姿態，就是行、住、坐、臥，稱為四威儀。在四威儀中，「坐」不過是其中的一個姿勢而已。要修定的話，不但坐時要定，在另外行、住、臥三種姿態，也要能夠定才行。不過，在修定開始的階段，以坐的姿態入門，是比較容易罷了。

坐的姿勢有很多種，只談在修定的方法中就有七十二種之多，而依照諸佛所說，在所有的打坐姿勢中，以跏趺坐為最好的修定坐姿。

用跏趺坐的姿勢修得定力以後，應該注意在另外行、住、臥三威儀中，繼續鍛煉保持已得的定境，進一步更要達到在處理一切事務及言談時，都不失掉定的境界，才真正算是定力堅固。

用堅固的定力去證取菩提，就好像攀枝取果一樣，相當方便，得心應手；然而，如果見地不正確或不透澈的話，修行很容易走入歧途。

現在將修法的重點和概念，簡要敘述於後，如果要探求進一步的奧秘，還需要修習所有經典，尤其是禪觀等經典，如天臺止觀、密宗法要等學，都要詳細瞭解貫通才行，現在先談坐的方法：

毗盧遮那佛七支坐法

一、雙足跏趺（俗稱雙盤），如果不能跏趺坐，就採用金剛坐（右脚放在左腿上），或者採用如意坐（左脚放在右腿上）。

二、兩手結三昧印（把右手掌仰放在左手掌上，兩個大拇指輕輕相抵住）。

三、背脊自然直立，像一串銅錢（身體不健康的人，最初不能直立，不妨聽其自然，練習日久後，就會不知不覺自然的直立了）。

四、兩肩保持平穩（不可歪斜，也不要故意用壓力）。

五、頭正顎收（後腦略向後收，下顎向內收，輕輕靠住頸部左右兩大動脈）。

六、舌抵上顎（舌尖輕輕抵住上門牙根唾腺中點）。

七、兩眼半斂（卽兩眼半開半閉，如開眼容易定就開眼，但不可全開，要帶收斂的意味，如閉眼容易定的話，可以閉眼，但不可昏睡）。

注意事項

一、打坐時應將褲帶、領帶等一切束縛身體的物件，一律鬆開，使身體鬆弛，完全休息。

二、氣候涼冷的時候，要把兩膝及後頸包裹暖和，否則，在打坐時風寒侵入身體，沒有藥物可以醫治，這一點須特別小心注意。

三、最初修習打坐的人，應該注意調節空氣和光線，光太強容易散亂，光太暗容易昏沈。座前三尺，空氣要能對流。
四、初習定的人，吃太飽時不可打坐，如覺得昏昏欲睡，也不可勉強坐，應該睡夠了再坐，才容易靜定下來。
五、無論初習或久習，坐處必須使臀部墊高二、三寸，初習打坐的人，兩腿生硬，可以墊高四、五寸，日久可以漸漸減低（如臀部不墊高，身體重心必定後仰，使氣脈阻塞，勞而無功。）
六、下座時，用兩手揉搓面部及兩脚，使氣血活動，然後再離座，並且應當作適度的運動。
七、坐時要面帶微笑，使面部的神經鬆弛，慈容可掬，心情自然也放鬆了。千萬不可以使面部表情生硬枯槁，變成峻冷，內心就會僵硬緊張起來。
八、最初習坐時，應該採取每次時間少，但次數加多的方式。如果勉強久坐下去，則會心生厭煩，不如每次時間短，一日多坐幾次才好。

在開始修習禪坐時，應該特別注意姿勢，如果姿勢不正確，養成習慣，就無法改正了。而且對心理和生理都有影響，並且容易成病。七支坐法的規定，有很深的涵義，非常符合生理及心理的自然法則，應該切實遵守。

人的生命要依賴精神的充沛，所以要培養精神，才能達到健康的生命。培養精神的方法，首先要使心中常常沒有妄念，身體安寧；心中一空，生理機能才會生生不絕。能夠不絕的生，另一方面再減少消耗，自然會達到精神充沛超過平時的狀態。

人的精神是隨著氣血的衰旺，而呈現充沛或虧損的現象。如果思慮過度疲勞，氣血就漸呈虧損衰弱的現象。所以安身可以立命，絕慮棄慾可以養神，也就是說，身體保持安定狀態，生命就有了根，丟掉了思慮，摒棄了慾望，精神就得到了培養。

古代醫學認為人的生機是藉著氣化而充實的，氣的運行是循著脈的路線。這裏所說的脈，並不是血管或神經，而是體內氣機運行的一個有規則的腺路。這個氣脈理論是相當微妙的，一般人不太容易瞭解。

黃帝內經中所說的奇經八脈，是從古代道家的說法脫胎出來的。道家認為：人體中「任」「督」「衝」三脈，對於養生修仙是最重要的。西藏密宗的觀念，認為人體中的三脈四輪，也是即身成佛的關鍵。

在密宗法本中有一部「甚深內義根本頌」，在這本頌中所討論的氣脈學說，比較內經及黃庭等書，各有獨到的地方。

藏密和道家，雖然都主張修三脈，不過道家是以前後位置的任督二脈為主，藏密則以左右二脈為主，修法雖然不同，但兩家都是以中脈（衝脈）為樞紐關鍵的。

至於禪宗坐禪的姿勢，採取毗盧遮那佛七支坐法，雖然沒有明白說出來注重氣脈，可是，坐禪的功效，實際上已經包含氣脈問題了。兩足跏趺坐不但可以使氣不浮，並且可以使氣沈丹田，氣息安寧，這樣心才能靜下來，氣也不會亂衝亂跑，而漸漸循著各氣脈流動，反歸中脈。等到氣脈可以同歸流於中脈，達到脈解心開時，才可以妄念不生，身心兩忘，這時才能進入大定的境界。如果說一個人的氣脈還沒有安寧靜止下來，而說能夠入定，那是絕對不可能的事。

普通人的身體在健康正常時，心中感覺愉快，腦中的思慮也就較少，在生病的時候就剛好相反。又如修定的人，在最初得到定境，開始見到心空時，一定會感到身體輕鬆愉快，那種神清氣爽的味道，真不是言語所能形容的。可見心理和生理兩種是互相影響的，是一體兩面的。

人體中的神經脈絡，是由中樞神經向左右兩方發展分布，而且是相反交叉的，所以，在打坐時，兩手大拇指輕輕抵住，成一圓相，身體內左右兩邊氣血，就有交流的作用了。

人體內的腑臟器官，都是掛附於脊椎的，如果在打坐時，背脊彎曲不正，五臟不能保持自然舒暢，就容易造成病痛，所以一定要豎直脊樑，使腑臟的氣脈舒泰。如果肋骨壓垂，也會影響肺部收縮，所以要保持肩平和胸部舒展，使肺活量可以充分自由擴張。

我們的後腦是思慮記憶的機樞，頸部兩邊是動脈的路線，由於動脈的活動，能運輸血液到腦部，增加腦神經活動。在打坐時，後腦稍向後收，下顎略壓兩邊的動脈，使氣血的運行緩和，可以減少思慮，容易定靜下來。

兩齒根唾腺間，產生津液，可以幫助腸胃的消化，所以要用舌去接唾腺，以順其自然。

心和眼是起心動念的關鍵，一個人看見色就會心動（聽到聲音也會心思散亂起來），這是先經過眼睛的機能而生的影響。如果心亂的話，眼睛會轉動不停，一個人如驕傲而又心思散亂的話，他的兩眼常向上視；一個陰沈多思想的人，兩眼常向下看；邪惡陰險的人，則常向左右兩側斜視。在打坐的時候，採取兩眼斂視半閉的狀態，可以使散亂的心思凝止。

打坐時鬆解衣物的束縛，可以使身體安適；常常面帶笑容，可使精神愉快，這些條件對於打坐修定都是很重要的。

所以，禪坐的姿勢，對於氣脈很有關係。雖然禪坐沒有專門講究調和氣脈，但是，這個調和氣脈的問題，已經包含在內了。如果專門注意修氣脈的話，很容易發生「身見」，更會增強一個人的我執，這個我執和身見，就是證得正覺的大障礙。

靜坐的姿勢，十分重要，如不把姿勢調整好的話，弄得曲背彎腰，常久下去，一定會生病。許多練習靜坐的人，有的得了氣壅病，有的吐血，使身體害了禪病，說起來都是因為打坐姿勢不正確引起的，所以修習靜坐的人一定要十分小心注意姿勢才是。

如果依照正確的方法和姿勢修習，身體本能活動發生作用，身體內的氣機自然流行，機能也自然活潑起來，就會有大樂的感受，這是心身動靜交互磨擦激盪而產生的現象。

對於這種現象，一概不可以認真或執著，因為現象就是現象，不久會消失而成為過去，如果對現象執著的話，就進入了魔境，就是向外馳求了。

如果修定方法正確的話，自己的心身必會得到利益。譬如說頭腦清醒、耳聰目明、呼吸深沈可入丹田、四肢柔暢，連粗茶淡飯也會和山珍海味一樣的好吃；如果原來有病的人，也會不藥而癒，精力也覺充沛。修定到了這一步，應該注意減少消耗，如果犯行淫慾，就會造成氣脈閉塞，心身都會得病了。

初修禪定入門方法

開始修習定慧之學，最重要的是決心和願力。在佛學上稱為發心。其次重要的就是修所有的福德資糧，大意就是隨時隨地的行善，以善行的善報，才能做為修行的資本條件。有了願力和決心，再有了修行所需的條件和環境，才能夠入道，才能談成功。

顯教和密宗的修法，都是以四無量心為重，如果一個修學的人沒有具備大願力和大善行，結果一定會誤入歧途的，由此可見一個人的成功是以願力和資糧為基礎的。

俗話說，工欲善其事，必先利其器，如果要成功，必須藉有用的工具。修定學禪也是一樣需要工具，而修定的工具不必向外找，我們的六根，正是很好的入門工具。

我們的六根（眼、耳、鼻、舌、身、意）外對六塵（色、聲、香、味、觸、法），隨時都在虛妄中隨波逐流，迷失真性。楞嚴經中，稱六根為六賊，「現前眼耳鼻舌及與身心，六為賊媒，自劫家寶；由此無始衆生世界生纏縛故，於器世間不能超越。」現在修行人要依禪定的力量，而返還性真，正好藉用六根作為工具。

如何藉用六根作為工具呢？就是在眼、耳、鼻、舌、身、意六根之中，任意選取一種，把心緣繫於選定的這一根，漸漸練習純熟，就可以達到「初止境」。

但是，每一根塵都可以產生許多不同的差別法門，分析起來是很複雜的。佛說一念之間有八萬四千煩惱。「佛說一切法，為度一切心，吾無一切心，何用一切法？」每人的性格、習慣和喜愛都不相同，就是說根器各不相同，所以一定要選擇能適合自己的法門，才能藉依這個法門去修習。下面列舉通常習知的幾種方法，作為修定入門的參考。如要深入瞭解，應該研習那些顯密經論才對（在楞嚴經中有二十五位菩薩圓通法門，已包括了大多數的方法）。

眼色法門可分為下列二類：

一、繫緣於物——就是眼睛對著一個物體來修定。這個方法是在眼睛視線範圍內，平放一物，或是佛像或其他物件，以能稍發一點亮光者為佳，在練習靜坐時，視力輕鬆地似乎在注視著這件物體。

至於光色的選擇，也要配合適合個人的心理和生理，例如神經過敏或腦充血的人，應該用綠色的光，神經衰弱的人，應該用紅色的光，個性急躁的人，應該用青色柔和的光體，這些都要看實際的情況來決定，不是死板固定的。不過，當選擇好一種以後，最好不要再變更，常常變更反而變成一件累贅的事了。

二、繫緣於光明——這個方法是眼睛對著光明，開始練習打坐時，視線之內放置一個小燈光（限用青油燈），或者香燭的光，或者日月星辰的光等（催眠術家用水晶球光），把光對著視線，但稍微偏一點較好，另外也可以觀虛空；觀空中自然的光色，或觀鏡子，或觀水火等物的光色等，統統都是屬於這個方法的範圍。不過，有一點要特別注意，就是對著鏡子看自己的方法，容易造成神經分裂的離魂症，不可輕易嘗試。

像這些方法，佛道及外道都同樣的採用。在佛法的立場上來說，修學的人首先要瞭解一點，就是說這些方法只是方法種種，都只是為了使初學的人容易入門而已，如果執著方法，把方法當作真實，就落入魔境外道了。因為自己的心如果不能定止於一緣，反而去忙於方法，就會變成混亂，心念混亂自然就不能達到「止」的境界。

在修定的過程中，常常會產生種種不同的境象，譬如在光色的境界中，最容易生起幻象，或發生「眼神通」現象。如果沒有明師指導，非常危險，馬上會誤入魔道。

上根利器的人，若有若無，不卽不離地在色塵境中，也有豁然開悟的，這並不是一般常情所能推測的，如釋迦看見天上明星而悟道。此外，也有忽的看見一物，就洞見本性的例子。

在禪宗古德中，靈雲禪師就是見桃花而悟道的，是非常奇特的例子。他在悟道後的偈子說：「三十年來尋劍客，幾回落葉又抽枝，自從一見桃花後，直至如今更不疑。」後來也有人追隨他的舊路，也有偈子道：「靈雲一見不再見，紅白枝枝不著花，叵耐釣魚船上客，却來平地摝魚蝦。」如果真能做到這一步，自然不會受那些小方法所限制了。

耳聲法門又可分內外兩種：

一、內耳聲法門——這個方法是在自己體內自作聲音，如念佛、念咒、念經等等。念的方法又分為三種，卽大聲念、微聲念（經稱金剛念），及心聲念（經稱瑜伽念）。在念的時候，用耳根返聞念的聲音。就是說一邊念一邊自己向內聽這個聲音。最初聽到的是聲聲念念，是許多接連斷續的念佛或念咒的聲音，漸漸地收攝縮小，而達到專心一念一聲，最後終歸使心念靜止。

二、外耳聲法門——這個方法是以外面的聲音為對象，任何聲音都可以，但最好是流水聲、瀑布聲、風吹鈴鐸聲、梵唱聲等。用聽外界聲音的方法，最容易得定。在楞嚴經中，二十五位菩薩的圓通法門，以觀音的法門最好，觀音法門就是以音聲法門入道的。故說：「此方真教體，清淨在音聞。」

當最初心念能夠專一在聲音的時候，能夠不昏沈，不散亂，就是說能夠輕鬆自然地保持這種專一的境界，就是得到了「定」，再經常地這樣修習下去，有一天忽然入於寂境，一切的聲音都聽不到了，這是靜極的境象，定相出現了，佛經上稱這個靜象當「靜結」。

在「靜結」出現時，不要貪著這個境界，並且應該瞭解，動是現象，「靜結」也是靜的現象，要超出動靜二相，不住不離於動相和靜相。而且要證知了中道，了然不生的中道，這時，就由定而進入「觀慧」的領域了。

慧觀聞性，不是屬於動靜的，與動靜無關，那是不間斷也不連續的，體自無生，是無生無滅的本體。不過，這仍然屬於漸修的階梯範圍。禪宗的古德們，很多人並不經過這些漸次的階梯，而一句話就成功了，在聽到聲音的那一剎那間，言下頓悟，得到了解脫，所以，禪門入道的人，都認為觀世音的聞聲法門了不起。

例如在百丈禪師的門下，有一個僧人聽到鐘聲而開悟，百丈當時就說：「俊哉，此乃觀音入道之門也。」其他還有香嚴擊打竹子而見性，圓悟勤聽見雞飛的聲音而悟道，再有圓悟所說的「薰風自南來，殿角生微涼。」又如提到唐人的艷詩：「頻呼小玉原無事，祇要檀郎認得聲。」等，這些都是屬於言下證入，真是偉大，美不勝收。

修習耳根圓通的人很多，但是，至死不能瞭解「動靜二相，了然不生。」的人更是不少。

離開了外境的音聲，與外境音聲毫不相干，自然能寂然入定，但是這個定相仍然是靜境，是動靜二相中的靜相而已。自己的心身本來就是在動靜二相之中，這一點如果不能認識清楚，而把得定的靜相當作了本體自性，那就是外道的見解，相反地，如果能超過這個階段，就可以算是入門了。

鼻息法門——這個方法，就是藉呼吸之氣而修習得定。呼吸能夠漸漸細勻而靜止，就是息。凡是修氣脈的，練各種氣功的，以及數息隨息等方法的，都屬於鼻息法門。天臺宗和藏密兩派，最注重鼻息法門。

這個法門的最高法則，就是心息相依，凡是思慮太多的人、心思散亂的人，用這個法門，依息而制心，比較容易收效。等到得定後，如果再細微的體察一下，就會發現心息本來是相依為命的。

一個人的思慮，是隨著氣息而生的，氣息的作用，就是以念慮表現出來。當氣定念寂的時候，就泊然大靜了，不過，思慮氣息及泊然大靜，兩者都是本性功能的作用，並不是道體。

道家認為，先天一氣（氣或作炁），是散而為氣，聚而成形的，一般的外道，把氣當作是性命的根本，這是非常錯誤的。如果認某一物而迷失自己的心，不能瞭解體性為用的道理，這也就是外道與正法內學分歧的地方。

如果能夠先悟到了自性，修習工夫漸漸深入達到了心息相依自在的境界，體驗了心物一元，才知道一切的法門，不過都是為修學的方便而已。

身觸法門——這個法門分為廣義和狹義兩種，廣義的身觸法門，包括了所有的六根法門，因為這些方法，都是依身根而修的。再說，如果沒有我們這個身體，六根又依附什麼呢？所以，諸法都是依身根而修的。

狹義的身觸法門，就是注意力專門集中身體上的一點，如兩眉中間、頭頂上、臍下、足心、尾閭、會陰等處。在打坐修習時，或用觀想的方法，或用守氣息的方法，或者修氣脈等，專注於一點，都是屬於這個法門。

身觸法門的修法，使修習人容易得到身體上的反應，如某種感受、觸覺、涼暖、和軟、光滑、細澀等等，有時更會有多種的反應和感受。所以這個法門使人常常會執著於現象，而以氣脈的現象，來決定道力的深淺，最後反而陷入了著相的境界。這就是金剛經上所說的「人相、我相、衆生相、壽者相。」密宗和道家的修法，最容易使人陷入著相的毛病，這也就是法執是最難甩脫掉的。

修行人最難的就是從身見中解脫出來，黃檗禪師時常嘆息這件事

：「身見最難忘」。在圓覺經中也有：「妄認四大為自身相，六塵緣影為自心相。」古今的愚昧人衆，都犯這一個毛病，所以永嘉禪師說：「放四大，莫把捉，寂滅性中隨飲啄。」

有人也許會說，在工夫沒有達到聖人的標準時，怎麼能辦得到沒有身見呢？還是要借假修真，借這個四大假合的身體，去修我們的真如體性，以身為一個方便法門，不也是修行入道一個途徑嗎？

這個說法也對，只要瞭解這是個法門，不要迷頭認影，把影子當真才是，如果迷頭認影那就沈淪難以自拔了。老子說：「我所以有大患者，為我有身。」這句話真不愧是至理名言。所以禪宗的古德們，絕對不談氣脈的問題，以免學人著相，這種作風實在很高明。

意識法門——這個法門，包括了所有一切的法門，擴大的說，就是八萬四千法門，大體上，也就是百法明門論中所列具的。前面所說的那些法門，雖然都是與五根塵境和五識的關聯，但五識是由意識為主的，五識不過像是五個傀儡上場，後面有牽線的人，這些線的主力，就是意識，而牽線的人，就是心王。

凡所有的法相，都是由心所生的，所以，一切的法門，都是意識所造作出來的，現在又單獨提出意識自性，勉強再當一個法門來討論，舉凡觀心、止觀、參禪等方法，都應該屬於意識法門。

觀心法門在開始的時候，所觀的心並不是自性真心，而是有生滅的念頭，也就是意識的妄心。在靜坐觀心的時候，只要內觀這點，向自己的意識內，尋找生滅的妄心，去注意這個念頭妄心的開始和消滅，以及來蹤去跡。像這樣的內觀接續不斷生滅的念頭，直到有一天，念頭生滅之流忽然斷了。這時前念已滅，滅了就不去理它，後念還沒有生，沒有生也不去引發它，前念已空，後念未起，當體空寂。這個情景就像香象渡河一樣，巨大的香象有巨大的魄力，不論多急的河流，牠卻不顧一切地橫渡而過，身體截斷了水流，到了這個境界就是到達了止的境界，佛學上稱為「奢摩他」。

可是這個止的境界，並不是徹底究竟的根本，這只是一個相似空的靜止境界，要在當體時去觀，觀到「有」是「空」而起的，「空」是從「有」而立的，「生」「滅」是「真如」所表現的作用，「真如」也就是「生滅」的本體。

能夠觀到了這個境界，不論任何一邊而見中道，最後，邊見捨除，連中也丟掉，就是到了觀慧的程度，佛學上稱為「毗鉢舍那」。

止觀修成之後，以止觀雙運為因，修持下去，自然得到定和慧都具有的果實。再一步一步繼續修下去，就是十地菩薩一地一地的上進，最後證得圓滿菩提。

天臺之學、藏密黃敎菩提道炬論、中觀正見等學，都是屬於這個修習的範圍。

至於參禪的法門，在初期的禪宗，沒有任何的法門敎給學人，所謂「言語道斷，心行處滅。」那裏還有一個法門給人呢？後代參禪的人，他們的方法却是參話頭、起疑情、做工夫，這些不是都屬於用意識的法門嗎？

不過，禪宗的用意識入門，與其他法門不同，就是把疑情作為「用」。

疑情是什麼？疑情並不是觀心的慧學，像止觀法門一樣，也不是百法明門論所列舉的疑。疑和情連繫起來，就深入了第八阿賴耶本識，帶質而生，此心此身，本來是相互凝合為一的。不過，在沒有開悟以前的人，像是胸中橫著一個東西，拔也拔不掉，一定要在適當的機會、環境和接引下，才會豁然頓破，所以說：「靈光獨耀，迥脱根塵。」「凡所有相，皆是虛妄。」

如果要達到「末後一句，始到牢關，把斷要津，不通凡聖」的境界，卻不是言語文字可以形容描寫的，這是踏破「毗盧」頂上，抛向

「威音」那邊，也就是說涉及了無始以前，就是與千聖一起高量討論，都難解釋的事情，那裏會是我們用思慮討論所能瞭解的呢？

定慧影像

佛學中的小乘之學，是由戒開始入門的，能夠持戒，才能夠進而得定，有了定，才能夠發智慧而得到解脫，最後達到解脫知見的境界。

佛法的大乘之學，是由布施、持戒、忍辱、精進為開始，進而達到禪定，最後得到的結果就是般若智。

佛法中所論及的止也好，觀也好，都是定慧的因，都是修學的最初情形而已。

用六根的方法修學，演變出來了八萬四千法門，所有這一切的法門，開始都是為了使意念靜止，意念達到了止就是定，定的程度以功力的深淺而有差別。

修定的方法，有的是從「有」入門，就是藉著有為法，而進入「空」。有的是從「空」開始，就是空掉一切的「有」，而知道「妙有」的用。法門雖多，目的都是一樣，為了達到定而已。

現在先來談一談定的現象：凡是能夠把心念繫在一個目標上，控制心意在一處不亂，就是止的境界，也就是入定的基礎。

什麼是「定」？

定就是不散亂，不昏沈，惺惺而又寂寂，寂寂而又惺惺。

也就是說，心念已寂然，但卻不是死寂，所以稱為惺惺，表示火熄了，但仍有火種埋在灰中，這個惺惺寂寂的境界就是「定」。

「不依心，不依身，不依也不依。」達到了這個境界，心念不依附在心，也不專注在身，連不依不專注也都丟掉，就是「定」。

在開始修定的階段，往往不是散亂，就是昏沈，或者是一會兒散亂，一會兒昏沈。其實，我們人天天都是這個樣子，一輩子都是這個樣子，不過自己不知道罷了。下面先討論散亂和昏沈這兩種現象。

㈠散亂

心念粗就是散亂，心念較細的散亂稱為「掉舉」。

修定的人，心念不能夠繫止於一緣，反而妄想紛飛，滿腦子都是思想、聯想、回憶、攀緣等等，不能夠制心一處，這就是粗散亂。

如果心念不太散亂，似乎已經繫住一緣，但仍有些比較細微的妄念，好像遊絲灰塵一樣的往來，全然沒有什麼干擾，但是仍然是一種微細的纏眠，有「多少遊絲羈不住，捲簾人在畫圖中」的味道，這種境界就叫做「掉舉」。

修習的人，許多都在這個「掉舉」境界，因為自己沒有認識清楚，所以不瞭解自己仍在微細散亂的境界，還自以為已經得定了，這實在是大錯特錯的想法。

最初修習的人，如果是妄念不止，又有心亂氣浮的情況，不能安靜下來，最好先使身體勞累，譬如運動啦，拜佛啦，先使身體調合，氣息柔順，然後再上座修定，練習不隨著妄念亂跑，只專注於一緣，日久熟練自然就可以繫於一緣了。

換言之，如果妄念亂心來了，對待它們就好像對待往來的客人一樣，只要自己這個主人，對客人採取不迎不拒的態度，客人自然會漸漸地散去，妄念亂心也就慢慢地停止了。

不過，在妄念將停止時，自心忽然會感到自己將要進入止的境界了，自心的這種感受又是一個妄念，這個妄念停止時，妄念又生，這樣周而復始，妄念來來去去，就很難達到止的境界了。

在修定的時候，最好不要認為自己是修止修定，待止的境界來到時，不要執著想要入定，反而可以漸漸入於止境。

在禪坐時，妄念常常比平時還多，這是一種進步的現象，所以不必厭煩。這個情況就像把明礬放進渾水時，看見水中濁渣下降，才知水中原有渣滓。又好像透過門縫中的陽光，才會看見空中的灰塵飛動。水中的渣滓和空中的灰塵都是原來就有的，只是平時不曾察覺，而在某種情況下就很容易顯示出來。妄念在禪定時似乎更多，其實自己本來就有許許多多的妄想，只是在修定時才會發現，所以這不是問題，不足為慮。

不過，如果妄念太多，散亂力太大而不能停止的話，可以採用數息隨息的方法來對付散亂，或者用觀想的方法也可，就是觀想臍下或腳心，有一個黑色的光點。另外一個針對散亂的方法，就是出聲唸阿彌陀佛，在念到「佛」字時，把這個最後的「佛」字拖長下沈，好像自己的心身，都沈到無底的深處一樣。

㈡昏沈

粗的昏沈就是睡眠，細的昏沈才叫做昏沈。

身體疲勞就需要睡眠，心的疲勞也會使人有睡眠的慾望。在需要睡眠的情況下，不要強迫自己修定，必須先睡足了，再上座修定。如果養成了借禪坐睡眠的習慣，修定就永遠沒有成功的希望了。

在昏沈的時候，心念好似在寂寂的狀態一樣，但是既不能繫心於一緣，也不起什麼粗的妄想，只有一種昏昏迷迷，甚至無身無心的感覺，這就是昏沈。

在昏沈現象初起的時候，有時會有一種幻境，就像在夢中差不多，換句話說，幻境都是在昏沈狀態中產生的，因為在昏沈時，意識不能明瞭，而獨影意識卻產生了作用。

修定的人，最容易落入昏沈的境界，如果不能瞭解這是昏沈，而自以為是得定，實在是可悲的墮落，宗喀巴大師曾說過，若認為這種昏沈就是定境的話，命終以後，就會墮入畜生道，所以不謹慎還行嗎？

克服昏沈的方法，也是用觀想，觀想臍中有一個紅色的光點，這個光點由臍中上冲，冲到頭頂而散。另外一個方法，就是用盡全身的氣力，大呼一聲「呸」，或者揑住兩鼻孔，忍住呼吸，到忍不住的時候，極力由鼻孔射出。或者洗一個冷水澡，或者作適度的運動。一個練習氣功的人，可能不容易有昏沈的現象（有人認為昏沈就是「頑空」境界，那是不對的，「頑空」是木然無思念，類似白癡狀態。）

當散亂昏沈沒有了，忽然在一念之間，心止於一緣，不動不搖，這時一定會產生輕安的現象。有人是從頭頂上開始，有人則是從脚心發起。

從頭頂上開始的人，只感覺頭頂上一陣清涼，如醍醐灌頂，然後遍貫全身，心念在止境，身體也感覺輕軟，好像連骨頭都融化了。這時身體自然挺直，好像一顆松樹。心念及所緣的外境，都是歷歷分明，十分清晰，也沒有任何動靜或昏沈散亂的現象。到了這個輕安的境界，自然喜悅無量，不過，時間或久或短，輕安現象還是容易消失的。

另一種從脚心開始的，先感覺暖或涼，漸漸上昇到頭頂，好像穿過了天空一樣。從足下開始的輕安，比自頂上開始的，更容易保持，不易消失。

儒家說，靜中覺物，皆有春意，「萬物靜觀皆自得」，這個境界就是從輕安中體會出來的。

到達了輕安的境界後，修習的人最好獨自居住在安靜的地方，努力上進，如果又攀結許多外緣事物，不能繼續努力，輕安就漸漸消失了。

如果繼續努力修習下去，會發現在不知不覺中，輕安的現象變得淡薄了。事實上這個現象並不表示輕安消失了，而是因為長久在輕安中，不像初得輕安時那麼明顯而已。就好像吃慣了一種味道，再吃就不會像頭一次那樣新奇罷了。

從這個輕安的境界，再繼續用功，不要間斷，定力就堅固了，這時會感到清清明明，全身的氣脈也有了種種變化，如感覺身體發暖發樂等，難以形容的微妙感受，這就是「內觸妙樂」之趣了。到了這個程度，才可以斷除人世間的欲根。

當體內氣機最初發動的時候，生機活潑，體內陽氣周流全身，如果忘記了把心念「繫緣一境」的話，性慾必定旺盛起來，這是十分危險的事，要非常謹慎自處才行。過了這一步險路，再往前邁進就發生了「頂」相，也就是超過了「煖」地更進一步。此時，氣息歸元了，心止境寂。因為這是三昧戒不許說的範圍，很難用言語文字說明。並且，修習過程中的各種身心變化，都需要知道對付的方法才能成功，這是屬於遮戒範圍，在此也不加討論。

修定的人到了這個程度，可能有氣住脈停的現象。其他學說對於氣住脈停的現象，都有很詳細的描述。邵康節的詩中說：「天根月窟常來往，三十六宮都是春。」這個境界聽起來很容易，但真要能夠達到這個程度，卻不是一件容易的事。

如果真的達到了這個境界，再繼續住於定中，就可以發生五種神通，在五神通中，眼通是最難發起的，一旦發起了眼通，其餘四種神通也就相繼的發起了。不過，也有因根器秉賦的不同，或者只發一種神通，或者同時併發，都不是一定的。

眼通發起的時候，無論開眼閉眼，都可以清楚地看到十方虛空，山河大地，微細塵中，一切都像透明琉璃一樣，絲毫沒有障礙，並且，凡是自己要看的事物，只要心念一起，都可以立刻看到。其他的神通，也是一樣情形。

修行人在定心沒有到達頂點，智慧沒有開發之前，忽然發起了神通，就很容易跟隨著神通而妄念流轉，反而失掉了本性，弄得修證的目標也丟了，如果再用神通去迷惑人，就是進入魔道了。所以修習的人如果把定當作最後目的地的話，等於黑夜行路，最容易落入險途，這是魔外之道的三岔路口，不能不特別小心。

有些人也許不發神通，但定心堅固有力，可以控制自己的心身，隨意停止氣息或心臟的活動。如印度的婆羅門、瑜伽術及中國的練形器合一之劍術等，都是到達了這個定境，用控制身心的方法去震驚世人，造成奇蹟。不過，能達到這個程度，非排除一切外務，經過很多歲月的專心努力，是不能成功的，絕對不是僥倖可成的事情。

佛法的中心定慧之學，以定為基礎，在得到定以後，連這個定的念頭也要捨棄，而住於一種「生滅滅已，寂滅現前。」的境界。這時一切的生和滅都滅掉了，連身心都沒有了，何況心身所達到的境界，當然也都滅掉了。因為這個可得的境界，就是「心所」所生的，是屬於生滅的範圍；既然是生滅範圍，當然就是虛妄。所以楞嚴經中說：

「現前雖得九次第定，不得漏盡成阿羅漢，皆由執此生死妄想，誤為真實。」

若能捨掉定相，住於寂滅之中，「性空」就呈現了，這是小乘的目標果位，破除了我執，而達到「人空」的境界。

修習大乘菩薩道的人，連小乘所達到的這個空寂也要捨棄，轉回來反要去觀，觀一切假有實幻的生滅往來，緣起無生，成為妙有之用。最後還是要不住不著於任何境界，也就是說，既不執著「空」，也不執著「有」，更要捨離「中道」，不即不離，而證到等覺和妙覺的果海。

證得了等妙二覺之果，才知道一切衆生本來就在定中，根本用不著去修證這個空。佛所説的這一大藏教，就是這個問題，用不著再多囉嗦了。

話雖如此，如果沒有定，就失去了基礎，只會説理，不能親證這個理，只能算是「乾慧狂見」，只能隨著水順流，而不能返流，也就是說自己不能做主，都也是虛妄不實的。許多人學問通達古今，嘴上說得頭頭是道，好像舌頭上生出一朵蓮花一樣美妙，可是卻沒有半點工夫。如果只會說理，就算說得頑石點頭，也沒有用處，只不過是讚揚自己，毀損別人，那裏是什麼佛心？古德說：「說得一尺不如行得一寸。」所以學佛的人，必須痛加反省，戒除這個只能說不能行的毛病，要按照五乘階梯之學而努力，這是必需的步驟，願與大家共同勉勵努力。

參禪指月

參禪這件事，並不是禪定，但也離不開禪定，這其中的道理，在前面禪宗與禪定、參話頭等各章中已大略談到了，這裏再畫蛇添足，作補充說明。

參禪的人，第一重要的就是發心，也就是個人的堅定志願，並且要認清一個事實，就是如果想要直趨無上菩提達到頓悟的話，絕不是小福德因緣就可以成功的。舉凡由人天二乘而到大乘，五乘道中所包羅的六度萬行的所有修法，一切修積福德資糧的善法，都要切實遵行去修才行。換言之，沒有大的犧牲和努力，但憑一點小小聰明福報善行，就想證入菩提，那是絕對不可能的。所以達摩初祖說：「諸佛無上妙道，曠劫精勤，難行能行，非忍而忍，豈以小德小智，輕心慢心，欲冀真乘，徒勞勤苦。」

如果能誠摯真切的發心，再積備了福德圓滿，在適當的機緣到達時，自然就會有智慧去選擇正途而成功，所以說：「學道須是鐵漢，著手心頭便判，直取無上菩提，一切是非莫管。」

除了有此心胸見識的條件外，另一個重要的事，就是找真善知識，也就是老師。要找的老師，一定是一明道而有經驗的過來人，跟隨著這個老師修習，找到自己的拄杖，就可以直奔大道。如果不生反悔的心，這一生不成功，可以期待來生，堅定信念，有三生的努力，沒有不成功的道理。所以古德曾說：「抱定一句話頭，堅挺不移，若不卽得開悟，臨命終時，不墮惡道，天上人間，任意寄居。」

要知道，古德中的真善知識，對於因果深切明瞭，絕不會自欺欺人的，這些真善知識們所說的話，是不可不信的！

話頭就等於入道的拄杖，真善知識老師，就像一匹識途老馬。參禪的人，手拿拄杖，騎著良馬，見鞭影而飛馳，聽見號角而斷鎖，重視自己，也重視別人，在良師細心指引下，一旦豁然開悟，才知道自己本來就沒有迷，那裏會有什麼悟呢！

如果把「起疑情」、「提話頭」、「作工夫」和參禪相提並論的話，只能說起疑情、提話頭和作工夫對參禪有影響作用，這影響作用並不是實際的「法」「與人有法還同妄，執我無心總是癡！」如果把這些法當作尺度去測量別人，審驗自己，就是把牛奶變成毒藥了，如果為此喪身失命，實在罪過。但是如果過分輕視起疑情、提話頭、作工夫等觀念，認為完全是不對的，不是參禪的真實法門，那便成了葉公的好龍，一旦看見真龍來了，反而駭怕，豈不成了笑話。所以說起疑情、提話頭、作工夫等道理，究竟是不是參禪的正法，或者是可用不可用，應該如何去活用，都交替說得很多了。如果自己還有不明白的，筆者也沒有別的辦法了。

青原惟信禪師，上堂說法時道：「老僧三十年前未參禪時，見山是山，見水是水。及至後來，親見知識，有個入處，見山不是山，見水不是水。而今得個休歇處，依前見山只是山，見水只是水。大衆，這三般見解是同是別？有人緇素得出，許汝親見老僧。」所以參禪的人，一定要真參，悟的話也一定要真真實實的悟，不是隨便說說就能算數的。「參要真參，悟要實悟」，這句古德的話，就是這個道理。

參禪深入，經過一番大死忽然大活，悟境出現在眼前，心目在動定之間，尋覓身心，都是了不可得，身心已不存在了，古德說：「如在燈影中行」，是一個實際的狀況。到了這個「燈影中行」的境界，參禪的人夜睡不會做夢，就可以證得了「醒夢一如」的境界。就像三祖所說：「心如不異，萬法一如，眼如不寐，諸夢自除。」這是他自身的體驗，絕對真實，並不是表詮法相的話。陸大夫曾向南泉禪師說：「肇法師也甚奇特，解道天地與我同根，萬物與我一體。」

南泉指著院中牡丹花說：「大夫，時人見此一株花，如夢相似。」

南泉所指的與夢相似，以及經教中所說的如幻如夢的比喻，都是與事實相吻合的。

修行人到了醒夢一如的境界，要看個人程度的深淺，應該維持保護這個已達到的境界。就像雪巖禪師用斗笠作比喻教導道吾，囑咐道吾戴上斗笠遮蓋，以免滲漏，就是教道吾保任已得到的工夫境界。

覆蓋保任的道理，在百丈禪師對長慶所說的話中，也可以表達：「如牧牛人執杖視之，令不犯人苗稼。」否則有了工夫，如果不小心保任，工夫仍會失掉。

許多參禪的人，都曾達到過這個境界，但卻不是勤修而來的，而是碰上的，就是「如蟲禦木，偶爾成文」，實際上是瞎貓碰上死老鼠偶然碰巧而已，並不是自己有把握的事。如果修行人像牧牛人一樣，能夠保任，工夫自然就會深入進步。

修習人在剛到達這個境界時，容易發生禪病，變成歡喜無比，這也是要小心應付的。韶山曾警告劉經臣居士說：「爾後或有非常境界，無限歡喜，宜急收拾，即成佛器，收拾不得，或致失心。」黃龍新對靈源清說：「新得法空者，多喜悅，或致亂，令就侍者房熟寐。」

可見初得法空境界的人，常會歡喜欣悅而散亂，要切實注意，不可散亂，要隨時避免塵俗而保任，培養這個新得的聖胎，等到道果成熟，再在出世入世兩方面實行，「一切治生產業，與諸實相不相違背。」

道果成熟了，不論出世或入世，修行人都是能說能行，說得到就辦得到的，是屬於悟行合一，不是只會說而做不到，或者有任何邊見偏差。大義應當做的事，赴湯蹈火都要去做，這樣繼續鍛煉，在念而無念之間，就自在運用了。

到了此時，還不是澈底的程度，這個無實相的境界，還要捨離，如果不能捨離，就要執著法身。涅槃果實，還遠隔重關，必須要經過幾番死活，達到心物一如的境界，才能夠到達心能轉物。

前面所談的境界，如能到達純熟自主，此心好像清淨圓明的一輪皓月一樣，但還是屬於初悟的境界。曹山說過一句話，其含意很需要仔細推敲：「初心悟者，悟了同未悟。」所以在南泉賞月的時候，有僧人問他：「幾時得似這個去？」南泉說：「王老師二十年前，亦恁麼來！」那個僧人又問道：「即今作麼生？」南泉不理，就回方丈房了。

為什麼說到了這個境界，還須打得心物一如，才能轉過重關呢？對於這個問題，引用下面幾個古德的話來解釋：

歸宗說：「光不透脫，只因目前有物。」

南泉說：「這個物，不是聞不聞。」

又說：「妙用自通，不依旁物，所以道通不是依通，事須假物，方始得見」。又說：「不從生因之所生。」

文殊說：「惟從了因之所了。」

夾山說：「目前無法，意在目前，不是目前法，非耳目之所到。」

這些古德的話都說明了，並不是明白了理就行，而是要能行才算數，既然達到了這個境界，又必須拋向那邊，不可住於這個境界，就像靈雲法語所記載：

『長生問：混沌未分時，含生何來？師曰：如露柱懷胎。曰：分後如何？師曰：如片雲點太清。曰：未審太清還受點也無？師不答。曰：恁麼含生不來也？師亦不答。曰：直得純清絕點時如何？師曰：猶是真常流注。曰：如何是真常流注？師曰：似鏡長明。曰：向上更有事也無？師曰：有。曰：如何是向上事？師曰：打破鏡來與汝相見。

然則打破鏡來，已是到家否？曰：未也。到家事畢竟如何耶？曰：豈不聞乎：「向上一路，千聖不傳。」雖然如此，姑且指個去路。曰：最初的即是最末的，最淺的就是最高深的，諸惡莫作，衆善奉行。』

以上簡單所述，都是事理並至的事實，實相無相，都是有影響作用的說法，到底那一樣是法，那一樣不是法，只好個人自己去挑選了。

上根利器的人，根本不會被別人的話所惑亂，但是，一個人更不能嘴上隨意說禪說道，能說不能行，一點沒有證到工夫境界，只是有知解，還自以為了不起。

有人認為，古德曾說：「大悟十八回，小悟無數回。」他自己已經身心皆忘，什麼都不知道，頓然入寂了，並且大死大活過幾次，可是仍然沒有達到那最高的成功境界，為什麼我們說得那麼簡單呢？

這個問題可以照下面的話來回答：古德所說大悟小悟，所指的並不是證事相，所指的只是悟理的入門而已。古德這句話，固然對後學是一種鼓勵，可是也實在誤人不淺。

因為一般所說的頓寂，以及大死大活無數回等，統統是功用方面的事。就好像曹洞師弟所說的，是功勳位上的事情。這一切屬於工夫方面，屬於功用的事，並不是禪宗所稱的實悟，而只是悟後的行履，悟後的實踐而已。

「不異舊時人，只異舊時行履處。」這句話就是形容一個人在開悟後，雖然仍是從前那個人，但是行為卻與以前不同了。行履功用就是功勳，修行人雖不執著功勳，但也重視功勳。

上根利器的人，可以直探根源，直接透入問題的根本而開悟，如賊入空室之中，赤條條來去無牽掛，毫無障礙，事與理都解決了，都不成問題。

話雖如此說，到底也要出一身冷汗才行。並不是像畫眉毛或擦胭脂一樣的，只顧表面就可以了，一定要經過奮鬥流汗才行。對於出一身汗這句話，也不能執著，也有人是不出汗而大悟的。不過，沒有經過一番甘苦，到底不踏實，如：

龍湖普聞禪師，唐僖宗太子。眉目風骨，清朗如畫，生而不茹葷，僖宗百計移之，終不得；及僖宗幸蜀，遂斷髮逸遊，人不知者。造石霜，一夕，入室懇曰：祖師別傳事，肯以相付乎？霜曰：莫謗祖師。師曰：天下宗旨盛傳，豈妄為之耶？霜曰：是實事耶？師曰：師意如何？霜曰：待案山點頭，即向汝道。師聞俯而惟曰：大奇！汗下。遂拜辭。後住龍湖，神異行跡頗多。

靈雲鐵牛持定禪師，太和礌溪王氏子，故宋尚書贊九世孫也。自幼清苦剛介，有塵外志，年三十，謁西峯肯庵剪髮，得聞別傳之旨。尋依雪巖欽，居槽廠，服杜多（頭陀）行。一日，欽示衆曰：兄弟家！做工夫，若也七晝夜一念無間，無個入處，所取老僧頭做舀屎杓。師默領，勵精奮發，因患痢，藥石漿飲皆禁絕，單持正念，目不交睫者七日；至夜半，忽覺山河大地，徧界如雪，堂堂一身，乾坤包不得。；有頃，聞擊木聲，豁然開悟，徧體汗流，其疾亦愈。且詣方丈舉似欽，反復詰之，遂命為僧。（續指月錄）

五祖演參白雲端。遂舉問南泉摩尼珠語請問。雲叱之，師領悟。獻投機偈曰：山前一片閒田地，叉手叮嚀問祖翁，幾度賣來還自買，為憐松竹引清風。雲特印可。……雲語師曰：有數禪客自廬山來，皆有悟入處；敎伊說亦說得有來由；舉因緣問伊，亦明得；敎伊下語，亦下得，祇是未在！師於是大疑，私自計曰：既悟了，說亦說得，明亦明得，如何却未在？遂參究累日，忽然省悟，從前寶惜，一時放下，走見白雲，雲為手舞足蹈，師亦一笑而已。師後曰：吾因兹出一身白汗，便明得下截清風。

上面所列舉的幾個例子，很有親切感，使人覺得極為方便快捷，如果執著於「大死大活」、「枯木生花」、「冷灰爆豆」、「囫的一聲」、「頂上一聲雷」等等，形容和比喻的字眼，把這些形容詞句，當作了實在的法門，認為一定有具體的事顯現出來，那麼，禪宗的無上心法，就連作夢都不會找到了。只是令內行人失笑而已。但是，如果把這些形容詞句，純粹當作比喻來看，與事實毫無關係，也是等於癡人說夢，不知道說夢的就是癡人。

參禪開悟後的人，是不是仍要修定呢？

對於這個問題，可以說修與不修，是兩頭的話，用兩句偈語來說明：「不擒不縱坦然住，無來無去任縱橫。」天天吃飯穿衣，沒有咬著一粒米，沒有穿著一條線，就如飛鳥行空，寒潭撈月一樣，得不到任何真實的事相。

如果到了這一步，仍沒有穩固，則一切的法門，都與實相一樣，都可以任意的揣摩，不妨一切都從頭做起，臨濟圓寂時的偈子說：「沿流不止問如何，真照無邊說似他，離相離名人不禀，吹毛用了急須磨。」

如果要問是否仍須坐禪？

回答是：這叫什麼話！在日常生活的行住坐臥四威儀中，自然要隨時隨地能定才行，不能說只有坐禪才是定，也不能說坐禪不是定。如果是明心見性悟道的人，自然知道如何用功，「長伸兩足眠一寤，醒來天地還依舊。」又有什麼地方不是呢？黃龍心稱虎丘隆為瞌睡虎，不是沒有原因的。又如：

臨濟悟後，在僧堂裏睡，黃檗入堂，見，以拄杖打板頭一下。師舉首見是檗，卻又睡；檗又打板頭一下。卻往上間，見首座坐禪。乃曰：「下間後生卻坐禪，汝在這裡妄想作麼？」

鐵牛定悟後，值雪巖欽巡堂次。師以楮被裹身而臥。欽召至方丈，厲聲曰：「我巡堂，汝打睡，若道得即放過，道不得即趁下山。」師隨口答曰：「鐵牛無力懶耕田，帶索和犂就雪眠，大地白銀都蓋覆，德山無處下金鞭。」欽曰：「好個鐵牛也。」因以為號。

但是，在石霜的參禪團體中，二十年來學眾之中，有許多是「常坐不臥，屹若株杌」，這些人只在禪坐，從不睡下，就像枯樹根一樣，但是，當時雖罵這些人是枯木衆，也並不表示睡下才對，並不是說睡下才算是道。

玄沙看見死去的僧人，就對大衆說：「亡僧面前，正是觸目菩提，萬里神光頂後相，學者多溟涬其語。」又有一個偈子道：「萬里神光頂後相，沒頂之時何處望，事已成，意亦休，此個來蹤觸處周，智者撩著便提取，莫待須臾失卻頭。」這其中的道理，須仔細切實的參究，不能隨便草草，落入斷見或常見的不正確見解中。

至於禪門中的禪定，在六祖壇經中，以及祖師們的語錄中，都曾談到過了，這裏不多引擧，只錄南泉的話，以作結束。

據說十地菩薩，住「首楞嚴」三昧，得諸佛秘密法藏，自然得一切禪定解脫，神通妙用，至一切世界，普現色身，或示現成等正覺，轉大法輪，入涅槃；使無量入毛孔，演一句經，無量劫其義不盡；敎化無量千億衆生，得無生忍，尚喚作所知愚，極微細所知愚，與道全乖。大難！大難！珍重。

金剛經中說：「我所說法，如筏喻者；法尚應捨，何況非法。」

前面所述的種種一切，讀者只當作夢中話聽好了。如果當作實法去瞭解，就把醍醐變成毒藥了，說的人無心，聽的人可就上當了。

有關心理部份請參考習禪録影

老古文化事業股份有限公司

圖書訂購單（信用卡專用）

北市100信義路一段5號1樓　服務專線：(02)2396-0337
24小時傳眞：(02)2396-0347　訂購日期：____年____月____日

姓名：__________________ 電話：(公司)__________________(住宅)__________________
地址：____
發票種類：□二聯□三聯　發票抬頭：________________ 統一編號：______________

編號	書　名	數　量	定價	小　計

◎目錄上之定價已含5%加值營業稅。
◎台灣掛號郵資統一爲NT. 50。
◎其他地區郵資（航空方式寄書）：
（依所在地區計算，若未足基本費則以基本費計）
亞洲地區：書款 x 0.55（基本郵資 270 元）
美加地區：書款 x 0.7（基本郵資 450 元）
歐洲地區：書款 x 0.75（基本郵資 500 元）

書款合計　NT.

各地郵資計算方式
□台灣郵資（書款合計+NT. 50）
□其他地區郵資（參照左側說明）

總　計　NT.

信用卡基本資料：商店代號：______________ 授權碼：______________

信用卡別：□VISA　□MASTER　□JCB　□聯合信用卡　發卡銀行：______________

信用卡號：□□□□ □□□□ □□□□ □□□□

信用卡有效期限：西元________年____月____日止（請務必塡寫）

信用卡背面簽名處末三碼數字：____________

身分證字號：________________________

持卡人簽名：________________________

（持卡人同意依照信用卡使用約定，一經使用訂購商品，均應按所示之全部金額，付款予發卡銀行，並同意以傳眞或影印方式訂購產品，所塡之影本及傳眞內容具有法律效用。）

＊請放大影印塡寫

購　書　辦　法

台灣地區

1.郵政劃撥

國內僅收掛號費五十元，其餘郵資由本公司負擔，約七到十個工作日可收到書。

郵政劃撥帳號：0159426-1　　戶名：老古文化事業股份有限公司

2.電腦網路線上訂購

由本公司委託郵局送件與收款，郵差先生所收取款項除書款外，加須上郵資與代收手續費共一百元整。

老古首頁：http://www.laoku.com.tw　　電子郵件信箱：laoku@ms31.hinet.net

3.信用卡訂購單

填寫信用卡專用訂購單後，請利用傳眞專線回傳本公司，款項另須加上郵資（國內掛號郵資 50 元，海外地區請參照「其他地區」之說明）

傳眞專線：(國內) 02-2396-0347　(國外) 886-2-2396-0347

4.親至門市購書

門市地址：100 台北市信義路一段 5 號 1 樓

電話：02-2396-0337　傳眞：02-2396-0347

營業時間：上午 11:00~下午 6:00

其他地區

1.其他地區訂戶可利用信用卡及電匯方式購書，一律採用航空方式寄書，如需用其他方式請註明。視地區、重量之不同，郵資計算方式如下（若未足基本費則以基本費計算）：

亞洲地區：書款 x 0.55（基本郵資 270 元）

美加地區：書款 x 0.7 （基本郵資 450 元）

歐洲地區：書款 x 0.75（基本郵資 500 元）

請多利用信用卡表格訂購，如使用電匯，戶名如下：

戶名：老古文化事業股份有限公司　Lao Ku Culture Foundation Inc.

銀行：華南銀行信義分行

Hua Nan Commercial Bank, LTD.

International Banking Department (Shin Yih Branch)

外匯帳號：119100034698

銀行地址：No. 183, Sec. 2, Shin-Yi Rd., Taipei, Taiwan, R.O.C.

2.其他代理

香港——青年書局　電話：2564-8732　地址：香港北角渣華道 82 號 2 樓

上海——上海金粟閣圖書公司　電子郵件信箱：loakubchina@yahoo.com.cn

電話：8621-52305171／8621-52305172　傳眞：8621-52305173

地址：上海市長寧區番禺路 390 號時代大廈 1308 室

Q1908-1	藥師琉璃圖 (15×22 公分)	10
Q1908-2	準提觀音圖 (15×22 公分)	10
Q1908-3	五方佛圖 (15×22 公分)	10
Q1909	三界天人表	100
Q1912	白骨禪觀圖 (15×22 公分)	25
Q2003	雍正皇帝與密摺制度	200
Q2104	値得深思 (楊正民著)	220
Q2106	大地兒女 (楊正民著)	180
Q4101	讓生命活得寧靜又熱情 (廖志祥講述・唐思群整理)	180

三．兒童智慧開發

S180**101-36**	兒童中國文化導讀 (注音誦讀本) 1 至 36 冊	
	1 - 3 冊、16 - 36 冊 (注音誦讀本，附誦讀 CD)	150
	4 – 15 冊 (注音誦讀本)	60
	（全套 36 冊已出版完畢，將陸續製作誦讀 CD 補齊冊次）	
S181**201-06**	兒童中國文化導讀 (羅馬拼音誦讀本) 1 至 6 冊	60
S1814	南老師的話	20
S18151	西方文化導讀 (一) (附誦讀 CD 及中文譯文)	250
S18152	西方文化導讀 (二) (附誦讀 CD 及中文譯文)	250
S18153	西方文化導讀 (三) (附誦讀 CD 及中文譯文)	250
S18154	西方文化導讀 (四) (附誦讀 CD 及中文譯文)	250
Q3101	幫孩子找到心靈寧靜的角落－幫助孩子靜定的活動設計	260
Q3102	兒童與經典導讀 (ICI 香港國際文教基金會編著)	160
Q3103	幫助孩子靜定的活動設計 (有聲書)	280
Q3104	你有「禮」嗎？－兒童 & 禮儀	260
W7807	歷史的五字經－鑑略 (含誦讀 CD)	280
W7809	給我一個角落悲傷－幫孩子找到心靈放鬆的出口	280

◆ 圖書一經售出，除缺頁、裝訂錯誤外，恕不接受退還

◆ 本目錄之書目及價格如有變動，概以最新資料爲準

◆ 大量訂購另有優惠，歡迎讀者來電洽詢

Q1314	初潭集 (李贄著)	120

古人書信日記

Q1404	金聖嘆才子尺牘 (金聖嘆著)	200
Q1405	八賢手扎 (曾國藩等著)	120

修養叢書

Q1502	菜根譚前後集 (明、洪自誠著)	120
Q1503-A	原本菜根譚 (明、洪應明著)	150
Q1505	醉古堂劍掃 (明、陸紹珩著)	200
Q1506	了凡四訓新解(周勳男)	250

天文星相

Q1602	古本麻衣相法 (附冰鑑) 清、丘宗孔編	260
Q1603-A	實用相術口訣真傳・達摩一掌金	220
Q1604	實用未來預知術 (諸葛亮著)	180
Q1605	揭開黃曆的秘密 (蔡策著)	170
Q1606	易經星命與占卜 (朱文光著)	200

醫學拳術

Q1701	增廣驗方新編 (清、鮑相璈撰)	240
Q1702	針灸技術圖經穴清明圖合編 (林介元編)	150
Q1706	氣覺與氣功 (姚貞香著)	200
Q1707	氣功防治心血管疾病 (王崇行編)	220
Q1708	本草備要	200
Q1709	紅燈邊緣話長生—血管病的最新認識 (董玉京著)	200
W4102	茶熏－減肥與養生新法 (金堯炫著)	350

其他

Q1803	唐圭峰定慧禪師碑	350
Q1804	石陣鐵書室丙辰日誌摘鈔	300
Q1806	準提鏡壇 (鍍金) 修持專用	3000
Q1807	觀音項鍊	100
Q1811	觀音聖籤(紫弇)	1000
Q1812	准提聖籤(紫弇)	1000
Q1901	藥師琉璃圖 (35x49 公分)	70
Q1904	四臂觀音圖 (56x78 公分)	120
Q1905	四臂觀音圖 (27x38 公分)	70
Q1906	準提觀音圖 (27x41 公分)	70
Q1907	準提觀音圖 (18x26 公分)	20

Q0901	道德經釋義 (林雄著)	150
Q0902-A	善本 (易經) 朱熹註	180
Q0907	周易圖經廣說 (上冊圖說)(下冊經說) 清、萬年淳著 (不分售)	520
Q0908	觀易外編 (清、紀大奎著)	280
Q0909	易問 (清、紀大奎著)	280
Q0911	皇極經世書今說－觀物內篇 (閆修篆著)	300
Q0912	皇極經世書今說－觀物外篇 (閆修篆著，上下冊不分售)	700

史學

Q1002	先秦文化史 (孟世傑著)	200
Q1003	鑑史提綱、稽古錄 (司馬光等著)	120
Q1005	清鑑輯覽 (上、下 2 本 1 套) 不分售 每套	700
Q1007	25 史彈詞 (楊升庵著)	120
Q1008	清代名吏判牘七種彙編 (襟霞閣主編)	300
Q1009	四書人物類典串珠 (臧志仁著)	280
Q1010	崇禎十七年 社會動盪與文化變奏 (余同元著)	380

國學入門

Q1101-A	國學初基入門	180
Q1102-A	增訂繪圖幼學瓊林 (清、程允升編著)	200
Q1103	四書白話句解 (王天恨述解)	250

古典小說

Q1202	精印三國演義 (上、中、下 3 本 1 套) 不分售 (羅貫中著、金聖嘆批鑑定) 每套	800
Q1203	西遊原旨 (上、下原西遊記) 悟元子評釋	500
Q1204	後西遊記 (天花才子評點)	240
Q1206	中國皇帝遊樂生活 (向斯著)	200

詩詞文集

Q1301	一日一禪詩 (焦金堂選輯)	180
Q1303	解人頤 (清、錢謙益編)	150
Q1304	諧鐸 (清、沈起鳳著)	100
Q1305	清詩評註 (王文濡)	140
Q1306	清文評註 (王文濡)	120
Q1307	漪痕館新詞譜	140
Q1308	日本戰後的史詩 (木下彪著)	150
Q1311	袖珍詩韻 (新安未老人輯著)	120
Q1312	袖珍檢韻 (清、姚文登輯)	150

禪宗典籍

Q0501	雍正御錄宗鏡大綱 (上、下 2 本 1 套) 不分售 (雍正皇帝選錄、永明壽禪師著)	每套 400
Q0502	水月齋指月錄 (上、下 2 本 1 套) 不分售 (明、瞿汝稷編)	1,000
Q0503	指月錄禪詩偈頌 (編輯部)	180
Q0504	續指月錄禪詩偈頌 (編輯部)	180
Q0505	禪門日誦	200
Q0506	佛法要領、永嘉禪宗集 (唐、大珠禪師等著)	150
Q0507	高峰妙禪師語錄	120
Q0508	參學旨要	160
Q0509	東坡禪喜集 (明、徐長孺輯)	120
Q0510	六妙法門 (隋、智顗大師述著)	150
Q0511	雍正與禪宗	250
Q0512	佛說入胎經今釋 (南懷瑾指導、李淑君譯著)	270
Q0513	悅心集 (清、雍正選集)	200
Q0514	慈悲水懺法譯注 (白金銑著)	350

密宗典籍

Q0601	準提修法顯密圓通成佛心要	250
Q0602	密教圖印集 (第一集)	300
Q0603	密教圖印集 (第二集)	200
Q0605	藏密氣功 (中國藏密氣功研究會編)	220

人物傳記

Q0701	憨山大師傳、密勒日巴傳記 (福善記錄惹穹多傑札把著)	200
Q0704	我的努力與反省 (梁漱溟 著)	300
Q0705	我是怎樣學起佛來 (周夢蝶等著)	280
Q0706	周瑞金的迴腸盪氣集 (周瑞金著)	300
Q0707	舊時代新女性－袁曉園的故事 (劉雨虹著)	200

政治謀略

Q0803	三國演義的政治與謀略觀 (毛宗崗批)	200
Q0804	水滸傳的政治與謀略觀 (金聖嘆批註)	200
Q0805	宦鄉要則 (清、宦鄉老人撰)	150
Q0806	康濟錄 (清、陸曾禹著)	160
Q0807	從政典範集 (宋、李邦獻著)	160
Q0808	典林瑯環	200

經學論著

Q7001	全集收入南先生迄至2001年所著的三十種著作，以及相關附集，合併為二十七冊，印刷精美，可謂書中極品；全集按出版時間順序編排，今後南先生的新作亦按出版時間編入此集。	26,100

二．其他各種圖書

人文文庫

Q0201	縵餘隨筆 (孫毓芹著)	150
Q0202	習禪散記 (編輯部著)	220
Q0203	禪、風水及其他 (劉雨虹著)	200
Q0205	西方神密學 (朱文光著)	180
Q0208	美國的民主與情報 (朱文光著)	120
Q0210	老人心理學 (周勳男著)	120
Q0213	心聲集 (王道著)	100
Q0214	人是上帝造的嗎 (張瑞夫著)	240
Q0215	人性是甚麼 (牛實為著)	200
Q0218	蘇格拉底也是大禪師 (包卓立著)	220
Q0221	超心理學(艾畦著)	380
Q0222	人心與人生(梁漱溟著)	300
Q0223	朝話 (梁漱溟著)	250
Q0224	菩提一葉 (李家振著)	320
Q0225	心靈病房的十八堂課 (張明志醫師著)	250
Q0226	禪之旅－江西禪宗祖庭尋訪記 (古道著)	220
Q0227	憶往談舊錄（梁漱溟著）	350
Q0228	禪之旅（二）－江湖歸來話禪宗（古道著）	180

佛法經藏

Q0302	佛學大綱 (精裝本)	360
Q0303	呂澂佛學名著 (呂澂著)	350
Q0401	維摩詰經集註 (李翊灼校輯)	300
Q0402-P	金剛經五十三家集註 (明、永樂皇帝編)	180
Q0403	解深密經 (唐、玄奘法師譯)	100
Q0404	圓覺經直解 (明、憨山大師著)	180
Q0407	藏要(歐陽竟無主編) 16K 精裝本 20 本一套　(定價 12,000) 特價	6,600
Q0409	成唯識論 (唐、玄奘法師譯)	240
Q0410	大乘百法明門論 (明、釋廣益纂註)	240
Q0412	楞伽經會譯 (宋天竺三藏求那跋陀羅等著)	320
Q0416	佛律與國法 (勞政武著)	600